Enfrentando crises e fechando *Gestalten*

CIP-BRASIL. CATALOGAÇÃO NA PUBLICAÇÃO
SINDICATO NACIONAL DOS EDITORES DE LIVROS, RJ

E46

Enfrentando crises e fechando gestalten / organização Lilian Meyer Frazão, Karina Okajima Fukumitsu. – 1. ed. – São Paulo : Summus, 2020.
144 p. (Gestalt-terapia : fundamentos e práticas ; 7)

Inclui bibliografia
ISBN 978-85-323-1152-8

1. Psicoterapia. 2. Gestalt-terapia. I. Frazão, Lilian Meyer. II. Fukumitsu, Karina Okajima. III. Série.

20-62944
CDD: 616.89143
CDU: 615.851:159.9.019.2

Meri Gleice Rodrigues de Souza – Bibliotecária CRB-7/6439

www.summus.com.br

Compre em lugar de fotocopiar.
Cada real que você dá por um livro recompensa seus autores
e os convida a produzir mais sobre o tema;
incentiva seus editores a encomendar, traduzir e publicar
outras obras sobre o assunto;
e paga aos livreiros por estocar e levar até você livros
para a sua informação e o seu entretenimento.
Cada real que você dá pela fotocópia não autorizada de um livro
financia o crime
e ajuda a matar a produção intelectual de seu país.

Enfrentando crises e fechando *Gestalten*

LILIAN MEYER FRAZÃO
KARINA OKAJIMA FUKUMITSU
[ORGS.]

summus editorial

ENFRENTANDO CRISES E FECHANDO GESTALTEN
Copyright © 2020 by autores
Direitos desta edição reservados por Summus Editorial

Editora executiva: **Soraia Bini Cury**
Assistente editorial: **Michelle Campos**
Capa: **Buono Disegno**
Diagramação: **Crayon Editorial**

Summus Editorial

Departamento editorial
Rua Itapicuru, 613 – 7º andar
05006-000 – São Paulo – SP
Fone: (11) 3872-3322
Fax: (11) 3872-7476
http://www.summus.com.br
e-mail: summus@summus.com.br

Atendimento ao consumidor
Summus Editorial
Fone: (11) 3865-9890

Vendas por atacado
Fone: (11) 3873-8638
Fax: (11) 3872-7476
e-mail: vendas@summus.com.br

Impresso no Brasil

Sumário

Apresentação 7
Lilian Meyer Frazão e Karina Okajima Fukumitsu

1 O trauma segundo o enfoque da Gestalt-terapia 11
Maria Alice Queiroz de Brito (Lika Queiroz)

2 Ressignificando processos com pacientes queimados 27
Josélia Quintas

3 Processos autodestrutivos: do luto do "antigo *self*"
à reinvenção criativa do *self* 43
Karina Okajima Fukumitsu

4 Experiências em Gestalt-terapia diante do
sofrimento LGBTQI+ 63
Paulo Barros

5 Ética e sofrimento humano 83
Lilian Meyer Frazão

6 Cuidado às pessoas em sofrimento e possibilidades
de ressignificação **97**
Beatriz Helena Paranhos Cardella

7 Relação ambiente-corpo como unidade sagrada:
Gestalt-terapia como morada da espiritualidade **117**
Jorge Ponciano Ribeiro

Apresentação

LILIAN MEYER FRAZÃO

KARINA OKAJIMA FUKUMITSU

Dedicamos este livro a Maria Cecilia Peres do Souto, amiga querida, parceira e professora ímpar, por toda sua longa dedicação e contribuição à Gestalt-terapia no Departamento de Gestalt-terapia do Instituto Sedes Sapientiae de São Paulo.

O volume 7 da **Coleção Gestalt-terapia: fundamentos e práticas** teve origem em 26 de julho de 2019, num dia nublado em que Karina amanheceu em Roraima e escreveu para Lilian: "Acordei inspirada para levar a cabo o volume 7. Segue anexa proposta para sua avaliação". Assim este livro começou. Para compô-lo, escolhemos autores que trabalham com determinados tipos de sofrimento – como traumas, queimaduras, homo e transfobia, processos autodestrutivos, transtornos de ansiedade e pânico –, investindo esforços para auxiliar no resgate do bem-estar daqueles que acompanham por meio de cuidado, ética e espiritualidade.

Crises todos vivemos. Forças para enfrentá-las nem todos temos. Se um dos objetivos principais da Gestalt-terapia é a ampliação da *awareness*, sobretudo daquilo que impede o fluxo contínuo e dificulta a fluidez do viver, nosso convite para este volume é o de refletirmos sobre as possibilidades de ressignificação de nossas *Gestalten*.

Em japonês, a palavra crise é composta por dois ideogramas diferentes: um deles significa *risco* e o outro, *oportunidade*, de forma que crise implica ambos. Porém, sabemos que nem todas as situações – sobretudo aquelas nas quais enfrentamos obstáculos que nos provocam sofrimento – são possíveis de ser fechadas. Nem toda Gestalt se fecha. Apesar disso, cremos ser possível, segundo a visão gestáltica, utilizar a criatividade e a espontaneidade por meio daquilo que Perls, Hefferline e Goodman (1997) definiram como *desprendimento criativo*, o qual se torna imprescindível para lidar com conflitos e situações de crise.

"O trauma segundo o enfoque da Gestalt-terapia" é o primeiro capítulo deste volume. Maria Alice Queiroz de Brito inicia o texto mostrando que é preciso experiência, conhecimento e sensibilidade para adentrar situações de sofrimento inimagináveis. Lika parte da compreensão gestáltica de saúde e considera que a falta de recursos necessários para lidar com as adversidades pode ser vista como um trauma que se torna gatilho de uma situação ameaçadora e promove disfuncionalidade no sistema de contatos *self*. Ela ressalta que a "primeira preocupação do Gestalt-terapeuta é a construção de um vínculo suportivo com o cliente".

Tomando por base sua extensa experiência no maior hospital de grandes traumas do estado de Pernambuco, Josélia Quintas compartilha seu profícuo trabalho realizado com pacientes que sofreram queimaduras e nos fala da necessidade de lhes oferecer heterossuporte. Diz a autora que, "pelas rupturas sofridas

Enfrentando crises e fechando *Gestalten*

e perdas reais causadas pelo acidente, diante de tantas solicitações da equipe para o tratamento necessário e das múltiplas adaptações a esse novo campo de experiência, convocamos o paciente a entrar em contato com o que está acontecendo agora".

No Capítulo 3, tomando por base sua experiência com prevenção e posvenção do suicídio, Karina Okajima Fukumitsu constata que o indivíduo em processo de morrência e em intenso sofrimento existencial se vê como "mais um num mundo sem sentido". São pessoas que dizem não acreditar na possibilidade de desfrutar do existir em sua máxima plenitude. Aquele que tenta o suicídio ou morre dessa maneira executa um ato de comunicação único e exclusivo. Com base nessas constatações, Karina conclui que "o sofrimento existencial pode ser compreendido como um estado de tensão no qual quem sofre não consegue entender por que sofre". Além disso, fala da importância do acolhimento e do cuidado para o equilíbrio do sofrimento existencial.

No quarto capítulo, "Experiências em Gestalt-terapia diante do sofrimento LGBTQI+", Paulo Barros discorre sobre algumas das comunalidades de parte dos sofrimentos vivenciados por essas pessoas, tomando por base tanto sua experiência pessoal como a que vivencia no atendimento de seus clientes. Diz ele que "vivemos em uma sociedade em que grupos políticos e religiosos, compostos em sua maioria por homens, instituíram a heterossexualidade como a orientação sexual adequada, limpa, pura e natural", o que implica dizer que as demais expressões e identidades sexuais passam a ser consideradas desviantes e anormais.

Já Lilian Meyer Frazão aborda a questão da ética de dimensões que vão além do fazer profissional. Tece considerações relativas a violência, agressividade, subemprego, competição e outras situações do mundo contemporâneo que considera adversas para o acontecer humano, postulando a importância de uma atitude ética – a qual deve ser pensada como postura no mundo e diante dele.

No Capítulo 6, "Cuidado às pessoas em sofrimento e possibilidades de ressignificação", Beatriz Cardella estabelece um rico diálogo com a poesia, a mística e a religião, campos esses que assinalam o paradoxo que constitui o ser humano. Segundo ela, os poetas, os místicos e os religiosos muito ensinam sobre sofrimento e cuidado, à medida que revelam dimensões do humano que a razão não é capaz de abarcar. Beatriz aborda essas dimensões do sofrimento que precisam ser acolhidas e reconhecidas pelo clínico a fim de que ele possa ofertar aos seus pacientes um lugar, de fato, *humano*, onde possam vir a acontecer.

Sentimos, pensamos e, em movimento, existimos em processo de mudança. "Meu corpo é *o que* eu sou. Minha alma é *como* eu sou" – é assim que Jorge Ponciano Ribeiro inicia seu capítulo. O autor percorre os caminhos de espiritualidade pelo profano e pelo sagrado, afirmando que "a relação psicoterapêutica se torna sagrada, fator de cura, no momento em que psicoterapeuta e cliente se constituem, na sua singularidade, seres essencialmente complementares e adquirem o temor fascinante pela beleza um do outro".

Sofrimento demanda respeito com os nossos sentimentos, inovação, criatividade, espontaneidade e zelo. Por esse motivo, esperamos que este volume seja para o leitor um acalanto para as amarguras que afligem nosso coração.

REFERÊNCIA

PERLS, F. S.; HEFFERLINE, R.; GOODMAN, P. *Gestalt-terapia*. São Paulo: Summus, 1997.

1.
O trauma segundo o enfoque da Gestalt-terapia

MARIA ALICE QUEIROZ DE BRITO (LIKA QUEIROZ)

"Não escondemos o que é sombrio de propósito,
tampouco basta a vontade para nos conscientizarmos
de quem somos ou do que sentimos. É preciso que os
outros nos apresentem o estranho, o desconhecido
que habita em nós."
(Cardella, 2009, p. 109-10)

Escrevo este capítulo da varanda de casa, olhando o mar azul; o dia está lindo! Vem-me à mente o sorriso da Karina e percebo-me sorrindo também. Dá um calorzinho no coração. Sou assim, vou gestando o que quero escrever e, de repente, sinto que as contrações do parto se iniciam, pego todos os livros que andei olhando já devidamente marcados, escrevo em uma folha de rascunho o fio condutor do capítulo, acho a citação ou poema que dará o tom e puxará o fio da meada do meu pensar... Aí varo dia e noite, parando, de vez em quando, para olhar o mar, sentir o vento, escutar o gorjeio dos pássaros.

Trabalhar ajudando o cliente a desvelar situações traumáticas, atravessá-las, restaurar e integrar aqueles fragmentos de si que, em um processo de autorregulação organísmica, ficaram alienados é algo extremamente delicado, como afinar um instrumento em meio à apresentação de uma sinfonia; qualquer movimento inadequado pode quebrar a harmonia do momento. É adentrar situações de sofrimento inimagináveis que, às vezes, me fazem questionar a dimensão humana que habita em alguns seres viventes. A fim de pensar sobre isso, preciso do acolhimento que a minha varanda me traz...

Para entendermos a dinâmica do trauma, faz-se necessário nos remetermos ao conceito de saúde para a Gestalt-terapia. Segundo Latner (1974), saúde é ter habilidades para lidar eficazmente com qualquer situação que se apresente aqui-agora, alcançando uma resolução satisfatória de acordo com a dialética de formação e destruição de *Gestalten*. "Saúde não garante que obstáculos não nos derrubem quando os defrontamos – apenas significa que nós nos aplicamos à tarefa em mãos com tudo o que temos" (Latner, 1974, p. 51).

E quando não se tem os recursos necessários para lidar com o que se está defrontando? Essa pode ser uma situação traumática. Esta pode ser definida como

> eventos para os quais o indivíduo ou o grupo não tem suporte interno necessário para integrar, gerando situações inacabadas, interrupções de contato, trazendo um impacto fisiológico, emocional, cognitivo, interferindo com as relações de campo organismo-meio. (Brito, 2019a, p. 132)

Para Ross (2008), os traumas podem ser classificados como: 1) de choque – quando acontece um fato inesperado, súbito e tão assustador que o sistema nervoso e o psiquismo não têm condições de assimilá-lo e integrá-lo; 2) de desenvolvimento – ruptura prematura do vínculo da criança com a mãe ou cuidadora, exposição da criança a situações de violência verbal e/ou psicológica, negligência, desamparo, abuso físico e/ou emocional; 3) de desenvolvimento de choque – um trauma de choque que acontece em algum estágio do desenvolvimento infantil, prejudicando-o.

Taylor (2014) fala sobre o trauma interpessoal: no caso de pessoas que vivem em famílias abusivas ou violentas, o trauma não se origina num fato, mas no relacionamento. Segundo o autor, esse tipo de trauma é autoperpetuador e mais resistente à cura.

O trauma advém de uma situação significada como extrema por quem a está experienciando, ameaçadora à existência, podendo ou não ser uma situação concreta de risco. Há um bloqueio da capacidade de reação, o que interfere na capacidade de sobrevivência, causa alterações bioquímicas e uma superativação do sistema nervoso (Levine e Frederick, 1999; Ross, 2014; Taylor, 2014). Essas reações nascem, como aponta Taylor (2014), do que é inicialmente uma reação organísmica saudável.

Em um "contexto saudável", se o indivíduo tem vínculos seguros, suportivos, as cargas emocionais geradas nas relações de campo organismo-meio significadas como novas, embora provoquem alterações bioquímicas e no sistema nervoso, estão compreendidas no que Perls, Hefferline e Goodman (1997) chamaram de emergência segura e que Ogden, Minton e Pain (2006) dizem estar dentro da janela de tolerância afetiva (veja a Figura 1). São situações naturalmente digeridas pelos mecanismos de autorregulação inerentes ao organismo, não gerando *Gestalten* abertas.

Ao enfrentar uma situação significada como ameaçadora, a reação é irrefletida, vem do modo *id* de funcionamento do *self*, faz parte do pré-contato. Em termos de sistema nervoso, os cérebros reptiliano e límbico assumem o lugar do neocórtex, provocando reações defensivas instintivas de sobrevivência, de luta, fuga ou congelamento, a depender de que ramo do sistema nervoso autônomo seja ativado: simpático ou parassimpático (Figura 1).

Figura 1

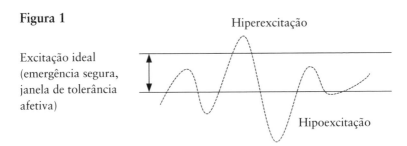

Excitação ideal (emergência segura, janela de tolerância afetiva)

Hiperexcitação

Hipoexcitação

Segundo diversos autores (Brito, 2019a; Heller e La Pierre, 2012; Joyce e Sills, 2016; Ross, 2008, 2014; Rothschild, 2000), o sistema nervoso simpático (SNS) prepara o corpo para a ação. Ele se ativa quando o organismo está alerta, excitado, engajado em alguma atividade. Ao ser ativado, promove um aumento do metabolismo, preparando o organismo para uma ação de proteção ou defesa. A hiperexcitação gera hipervigilância, preparando o organismo para movimentos rápidos, reações de sobrevivência de luta ou fuga.

Já o sistema nervoso parassimpático (SNPS) é responsável por conservar energia. Sua função é preparar o organismo

Enfrentando crises e fechando *Gestalten*

para o repouso e o relaxamento, descarregando a excitação do simpático e ajudando a restaurar a homeostase. Quando nem a fuga nem a luta são possíveis, o SNPS é comandado pelo sistema límbico. Este gera hipoexcitação, provocando entorpecimento e dessensibilização – que podem chegar a analgesia e imobilidade tônica, desencadeando a resposta de congelamento e bloqueando, com isso, a ativação do sistema nervoso simpático, porém sem descarregá-lo.

Em circunstâncias extremas, o SNS pode permanecer ativado enquanto o SNPS é simultaneamente hiperativado, também gerando a resposta de congelamento. Ou seja, "se estivermos hiperexcitados ou hipoexcitados, nossas reações podem se tornar emocionalmente caóticas ou apaticamente dessensibilizadas" (Joyce e Sills, 2016, p. 319).

As situações traumáticas interferem na recuperação da homeostase natural, gerando várias reações (Brito, 2018; Joyce e Sills, 2016). Além da desorganização na autorregulação neurológica, que hiperativa o sistema nervoso autônomo, outros processos de desorganização neurofisiológica podem ser encontrados:

- desorganização da formação narrativa do fato em termos de quando e como ocorreu, gerando um relato fragmentado sobre ele;
- incapacidade de compreensão realista sobre o que aconteceu;
- desorientação;
- sensação emocional e somática de que o fato não terminou.

Por não ter autossuporte para lidar com o vivido, a pessoa também pode defletir e/ou dessensibilizar a lembrança do incidente traumático ou do seu impacto na vida. Sempre fico atenta quando um cliente me relata não ter nenhuma lembrança da infância, por exemplo. Conforme David Grove (1989; 1991), a criança traumatizada, por não ter recursos para lidar com a ameaça, fica congelada no tempo no que ele chama de T-1 (trauma menos 1), o momento anterior ao pior momento da experiência por ele chamado de T; esse momento pode durar um segundo, minutos ou horas. A criança que permanece congelada no fundo como uma informação no adulto não sabe que sobreviveu a T e chegou a T+1, o momento posterior ao trauma. Essa informação, que nunca passou de T para T+1, emerge no adulto como figura em termos de sintoma e da linguagem metafórica, como "tem um nó na minha garganta", "é como uma faca enfiada nas minhas costas" etc. Na minha experiência, esse raciocínio do Grove se aplica a situações traumáticas vivenciadas em qualquer faixa etária.

Outra questão delicada é o fenômeno dos gatilhos. Durante uma situação ameaçadora, muitas pistas podem ficar associadas ao trauma e gravadas no que Rothschild (2000) chama de memória implícita. Esta envolve estados internos e processos que são automáticos, não sendo baseados no pensamento; assim, essas pistas ficam no fundo e podem posteriormente fazer que as mesmas reações emocionais e físicas da situação traumática emerjam como figura, ainda que a situação seja de segurança. Lembro-me de um cliente que me procurou porque se sentia profundamente desconfortável quando via a cor amarela. Trabalhando em terapia, acessou uma memória de quando tinha 5 anos, na escola, e urinou na roupa porque a professora não o deixou ir ao banheiro; os colegas começaram a rir e ele ficou profundamente envergonhado, olhando para baixo, a urina amarela no chão amarelo.

Introjeções disfuncionais em relação ao significado do incidente são outra consequência dos traumas, impactando a função personalidade do *self*. Segundo Joyce e Sills (2016, p. 323), "após um trauma, muitos clientes formam crenças sobre si mesmos e sobre o mundo que são supergeneralizadas, inexatas ou autocríticas". A vergonha é frequente nas vítimas, sobretudo naquelas que passaram por situações de abuso sexual ou estupro. Estas se sentem diminuídas, indignas pelo que lhes aconteceu, responsáveis, como se, em algum nível, tivessem provocado aquela situação, o que lhes traz também culpa. A vergonha e a culpa também são frequentes em sobreviventes de acidentes nos quais outros morreram.

Outra reação é a retroflexão de emoções e ações não expressas: o corpo manifesta aquilo que não conseguimos expressar. Muitas vítimas de traumas apresentam problemas cardíacos, endócrinos, digestivos, respiratórios, do sistema autoimune etc. Como diz Domato (2017, p. 13), "toda a nossa história de vida está contida como memória somática; isto é, a soma de episódios, tanto positivos como traumáticos, vai se depositando nessa caixa musical – o corpo –, de onde em geral ressoam somente algumas melodias".

Esses sintomas podem levar a transtorno de estresse agudo, transtorno de estresse pós-traumático (TEPT) e transtorno de estresse pós-traumático tardio, além de quadros de depressão, isolamento social, transtorno de ansiedade generalizada (TAG) e abuso de sustâncias.

Os vários ajustamentos criativos encontrados para lidar com o trauma podem se tornar *Gestalten* fixas. No contexto traumático, o movimento dinâmico entre *self* e o ambiente "tende a se tornar muito mais rígido, sendo as *Gestalten* fixas estruturalmente corporificadas" (Taylor, 2014, p. 24). Como seres do e no mundo, estamos sempre em contato, e todo contato traz uma novidade. Nessa relação de campo organismo-meio, o organismo está, a cada momento, se organizando para decodificar se a novidade é segura ou ameaçadora. Esse processo de decodificação é neurofisiológico: *awareness* do novo → tálamo → amígdala ou hipocampo → hipotálamo → eixo hipotalâmico-pituitário-adrenal (HPA) → sistema nervoso autônomo (SNA). Qualquer mudança no ambiente, seja mínima ou grande, é percebida pelo nosso sistema exteroceptivo, o qual envolve os nervos sensórios que respondem aos estímulos que vêm do mundo externo por meio dos cinco sentidos.

Os dados passam por uma "estação de retransmissão" – o tálamo –, que pode enviar a informação para a amígdala ou para o hipocampo, que fazem parte do sistema límbico, assim como o sistema nervoso autônomo. O hipocampo é uma área do cérebro ligada à memória e a estruturas cerebrais superiores de associação, pensamento e linguagem. Processa os dados necessários para dar um sentido temporal e sequencial à experiência; usa a associação com a memória para reconhecer se o perigo é real ou não e, caso este seja detectado, envia um sinal à amígdala. "O tálamo envia a informação para o hipocampo como uma forma de obter uma segunda opinião antes da interpretação da amígdala do eventual perigo" (Associação Brasileira do Trauma, 2007, p. 32). A amígdala processa e facilita o armazenamento de emoções, sobretudo o medo, assim como de reações a fatos emocionalmente mobilizadores. Assim, avalia o perigo em nível visceral, desencadeando imediatamente uma reação de emergência, enviando um sinal ao hipotálamo, que é a região do cérebro que controla o SNA, e também ativa o HPA, composto por glândulas que controlam as reações de estresse. É o principal mobilizador da energia do corpo para todos os tipos de resposta; ao mobilizar ou imobilizar o sistema muscular, tem uma participação fundamental nas respostas de luta, fuga e congelamento.

Ampliando a reflexão sobre esse processo, fiz um paralelo entre o ciclo de resposta ao perigo desenvolvido pela ABT (2007), o ciclo de *awareness*-excitação-contato de Zinker (1977/2007) e o ciclo do contato de Ribeiro (2019), embora não tenha incluído todas as fases por ele descritas:

Figura 2

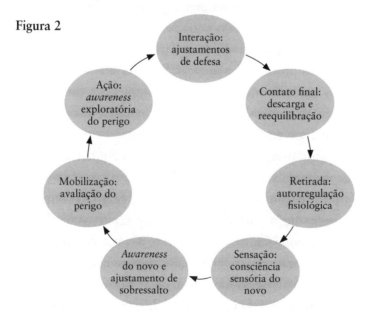

"Todo contato é ajustamento criativo do organismo e do ambiente" (Perls, Hefferline e Goodman, 1997, p. 45). O primeiro ajustamento criativo da pessoa é a sensação de algo estranho no ambiente; pode ser um calafrio, um arrepio na nuca, a sensação de que algo está fora do lugar, entre outras. O próximo passo é observar para perceber se esse novo é ameaçador ou não; há uma curiosidade exploratória ligada ao ambiente externo, demonstrada por perguntas e expressões faciais. A postura corporal é de atenção e os sentidos estão em alerta, preparando o corpo para uma resposta imediata. Muitas vezes, o dar-se conta da novidade já vem acompanhado de uma reação de sobressalto, ou seja, de uma maior ativação do SNS – com taquicardia, pupilas dilatadas, respiração presa ou acelerada; os olhos ficam arregalados, a pessoa cruza os braços sobre o corpo em uma atitude de proteção, fecha as mãos, fica inquieta. Na sequência, vem a mobilização, o potencial para o perigo é avaliado e, se procede, o indivíduo sente necessidade de se situar melhor em relação à magnitude do problema: a atenção fica alerta e focalizada. A *awareness* exploratória do perigo se amplia e o ambiente é também avaliado para que o indivíduo avalie se deve fugir ou lutar; há grande tensão no sistema muscular, os membros estão de prontidão para a ação. Como se está ainda mais ativado neurofisiologicamente, isso pode interferir na decodificação da informação captada do ambiente, gerando confusão. Isso na preparação para os ajustamentos criativos de defesa, luta, fuga ou congelamento. É comum, nas pessoas traumatizadas, apresentar hipervigilância e hipersensibilidade por uma fixação na ativação simpática, ou ativação parassimpática que traz insensibilidade e evitação do contato com os sinais

Enfrentando crises e fechando *Gestalten*

evidentes de perigo. Um dos ajustamentos criativos de defesa é mobilizado pelos sistemas reptiliano e límbico, e o indivíduo foge, luta ou congela na tentativa de sobreviver. De acordo com a ABT (2007, p. 15),

as respostas instintivas ao perigo, fisiologicamente pré-programadas, combinadas com as estratégias apreendidas com base nas experiências anteriores, determinam que tipo de resposta de sobrevivência será utilizada, na fração de segundo da resposta, que ocorre no momento do perigo. As únicas respostas corretas são aquelas que propiciam a sobrevivência.

Com a finalização do ajustamento criativo de defesa levando à sobrevivência do indivíduo, acontece a descarga da sobreativação gerada pela resposta ao perigo, havendo uma reequilibração da fisiologia. A pessoa pode apresentar tremores, espasmos, transpiração, respirações profundas, suspiros, bocejos. Com isso, pode se "retirar", voltando a uma relação de contato tranquila consigo e com o entorno.

É importante considerar que o que pode ser traumático para um não necessariamente será traumático para o outro; é a nossa subjetividade que dá sentido ao nosso olhar para o mundo. Além do mais, a resiliência difere de indivíduo para indivíduo a depender das experiências vividas e elaboradas ao longo da vida. A capacidade de reagir a situações ameaçadoras com ajustamentos criativos dentro da emergência segura ou com um nível traumático maior ou menor depende do suporte interno e dos ajustamentos criativos eficazes de sobrevivência a situações física ou emocionalmente semelhantes, que se tenham desenvolvido ao longo da vida; dos vínculos seguros e suportivos que se tenha; e do apoio relacional e comunitário (Levine, 1999; Brito, 2018).

"Ser saudável é, antes de tudo, FLUIR, deixar-se levar, entregar-se ao movimento, se *des-aprisionar*, deixar-se liquidificar. É sentir, se perceber, se experimentar, deixar-se afetar" (Ribeiro, 2019, p. 101). Como ajudar o outro a se reencontrar, a resgatar a fluidez na vida?

Joyce e Sills (2016), no seu modelo de quatro fases, resumem muito bem o que vários autores propõem ao discutir o trabalho com situações de trauma: avaliação, fornecimento de recursos, processamento das lembranças traumáticas e integração do vivido. A primeira preocupação do Gestalt-terapeuta é a construção de um vínculo suportivo com o cliente. Parafraseando Cardella (2017, p. 105), a consciência da precariedade permite ao terapeuta manter vivas a sensibilidade, a abertura do coração para acolhê-lo e ouvir a sua história, situando-se e buscando entender o problema, as condições do cliente em relação ao seu vivido em termos de suporte/fragilidade, como ele interrompe o contato. Ao longo de todo o processo, deve-se ficar atento ao óbvio, perguntar o que está acontecendo, observar as reações: sinais do corpo, metáforas, palavras-chave, interrupções no discurso, expressões de emoção.

Se o trauma está no corpo, é através do corpo que ele pode se revelar. O importante é encontrar o aspecto da experiência traumática que a pessoa tenha suporte para acessar, dividir a experiência em *Gestalten* menores, em doses que sejam manejáveis tanto para o contato quanto para a liberação do comportamento interrompido, possibilitando, assim, a descarga da excitação. Para isso faz-se necessário primeiro desenvolver o suporte interno dele ou dela, para que o conteúdo possa emergir como figura sem retraumatizar. (Brito, 2019b, p. 74)

Estamos falando de gradação: o terapeuta ajuda o cliente a ir encontrando recursos para mergulhar, aos poucos, na(s) situação(ões) traumática(s). Os recursos somáticos de enraizamento, respiração e técnicas de relaxamento são de grande ajuda, assim como a técnica de comportamento direcionado, que permite ao cliente entrar em contato com experiências de segurança e conforto, localizando-as no corpo. A *awareness* de recursos atuais do campo e elementos que representem segurança na sala do terapeuta, assim como a *awareness* de recursos anteriormente usados e esquecidos, é também de grande valia.

Como Gestalt-terapeutas, privilegiamos o experienciar no lugar do falar sobre: "O contexto terapêutico é por definição o lugar da experiência e o contexto da experiência que pode suscitar experimentações" (Delacroix, 2009, p. 287). O experimento deve ser construído levando-se em conta a gradação – o nível de suporte interno que o cliente apresenta – e o aprofundamento gradativo, utilizando uma linguagem que ajude o cliente a desvelar-se para que possa reviver a experiência traumática, como viagem de fantasia, dramatização, desenho, pintura, colagem, bonecos, caixa de areia, sonhos. Podem-se utilizar comportamentos direcionados que facilitem a expressão de emoções e ações retrofletidas, num contínuo de *awareness* que o auxilie a mergulhar nas sensações e liberar imagens. Técnicas como cadeira vazia e inversão de papéis possibilitam a expressão das emoções e dos "não ditos", bem como experimentos que trabalhem a delimitação/

expansão das fronteiras de contato envolvidas na situação. É preciso que se identifiquem crenças, introjetos distorcidos e pouco realistas decorrentes das experiências traumáticas para que estes sejam ressignificados. O dever de casa vai ajudar na *awareness* da transformação: refiro-me a atividades que desenvolvam e solidifiquem o novo, ajustamentos criativos mais funcionais, e que não tomem muito tempo e possam ser integrados, sem esforço, no cotidiano do cliente.

> O mais benéfico são pequenos experimentos que envolvem movimento gradativo ou nova expressão, com pausas frequentes para reavaliar o sentido e o aprendizado. Isso envolve encorajar uma *awareness* contínua de cada momento de emoção que emerge e torna o processo mais lento. (Joyce e Sills, 2016, p. 322)

A Gestalt aberta precisa ser fechada e a solução deve ser relevante para a idade em que o trauma ocorreu. É fundamental, para o processo de integração da vivência traumática, que se trabalhe com o cliente a autocompaixão, o autoperdão e o autocuidado. Embora a experiência traumática tenha sido elaborada, o que foi vivido alterou o curso da vida e isso não pode ser recuperado; o que muda é o olhar que agora se tem sobre o que se viveu, e o devir pode ser vivido de outra maneira.

Iniciei com as palavras da Beatriz Cardella, e com ela (2009, p. 95) encerro minhas reflexões:

> Assim, ser capaz de se sensibilizar e acolher o próprio sofrimento e os dos demais preserva o que há de mais precioso em ligar e unir duas pessoas. Nesse sentido, o sofrimento carrega a esperança de nos fazer humanos.

Enfrentando crises e fechando *Gestalten*

REFERÊNCIAS

ASSOCIAÇÃO BRASILEIRA DO TRAUMA (ABT). *Experiência somática: a cura do trauma*. Modulo II, Iniciante. São Paulo: ABT, 2007.

BRITO, M. A. Q. *Trabalhando traumas em Gestalt-terapia*. Conferência proferida no XVI Encontro Nacional de Gestalt-terapia e XIII Congresso Brasileiro da Abordagem Gestáltica, Curitiba, Paraná, 20 jul. 2018.

_____. "Um olhar da Gestalt-terapia em intervenções de emergências e desastre". In: CARDOSO, C. L.; GIOVANETTI, J. P. (orgs). *Sofrimento humano e cuidado terapêutico*. Belo Horizonte: Artesã, 2019a, p. 129-47.

_____. "Nas páginas do meu corpo, histórias em cicatrizes". In: BRITO, M. A. Q.; MENDONÇA, B. I. O. (orgs). *Ensaios em Gestalt-terapia: uma perspectiva autobiográfica*. Salvador: Edufba, 2019b, p. 65-77.

CARDELLA, B. H. P. *Laços e nós: amor e intimidade nas relações humanas*. São Paulo: Ágora, 2009.

_____. *De volta para casa: ética e poética na clínica gestáltica contemporânea*. Amparo: Foca, 2017.

DELACROIX, J. M. *Encuentro con la psicoterapia: una visión antropológica de la relación y el sentido de la enfermedad en la paradoja de la vida*. Santiago de Chile: Cuatro Vientos, 2009.

DOMATO, M. G. *Somos cuerpo*. Buenos Aires: Mirta Graciela Domato, 2017.

GROVE, D. *Healing the wounded child within*. Edwardsville: David Grove Seminars, 1989.

_____. *In the presence of the past*. Eldon: David Grove Seminars, 1991.

HELLER, L.; LA PIERRE, A. *Healing developmental trauma: how early trauma affects self-regulation, self-image, and the capacity for relationship*. Berkeley: North Atlantic, 2012.

JOYCE, P.; SILLS, C. *Técnicas em Gestalt: aconselhamento e psicoterapia*. Petrópolis: Vozes, 2016.

LATNER, J. *The Gestalt-therapy book*. Nova York: Bantam Books, 1974.

LEVINE, P., FREDERICK, A. *O despertar do tigre*. São Paulo: Summus, 1999.

OGDEN, P.; MINTON, K.; PAIN, C. *Trauma and the body*. Nova York: W. W. Norton, 2006.

PERLS, F. S.; HEFFERLINE, R.; GOODMAN, P. *Gestalt-terapia*. São Paulo: Summus, 1997.

RIBEIRO, J. P. *O ciclo do contato: temas básicos na abordagem gestáltica*. São Paulo: Summus, 2019.

ROSS, G. *Beyond the trauma vortex into the healing vortex: a guide for psychology and education*. Los Angeles: International Trauma Healing Institute, 2008.

_____. *Do trauma à cura – Um guia para você*. São Paulo: Summus, 2014.

ROTHSCHILD, B. *The body remembers: the psychophysiology or trauma and trauma treatment*. Nova York: W. W. Norton, 2000.

TAYLOR, M. *Trauma therapy and clinical practice*. Berkshire: Open University Press/McGraw-Hill, 2014.

ZINKER, J. [1977]. *Processo criativo em Gestalt-terapia*. São Paulo: Summus, 2007.

2.
Ressignificando processos com pacientes queimados

JOSÉLIA QUINTAS

"É a resistência pela vida e a
persistência pela sobrevivência
que fortalece o homem precário."
(Spencer Junior, 2015, p. 22)

O presente capítulo tem como objetivo refletir sobre o trauma da queimadura e sobre as repercussões psicossociais na existência do paciente, buscando compreender os processos de ressignificação do ser que adoece à luz da Gestalt-terapia.

Atuando como psicóloga no maior hospital de grandes traumas do estado de Pernambuco, o Hospital da Restauração Governador Paulo Guerra, tive a oportunidade de me aproximar de pacientes vítimas de queimaduras e de oferecer-lhes atendimento psicológico. Ao longo dos anos, nesse campo de atuação, ampliei meu modo de clinicar, em parte diferente do espaço da clínica tradicional, sem perder o rigor técnico-científico necessário às intervenções em crise. Pelo acontecimento inesperado e crítico, o paciente pode perder momentaneamente sua capacidade de se autorregular e de identificar suas necessidades. Tudo fica confuso, desconfigurado.

Isso requer do terapeuta o cuidado de se dispor para uma escuta fenomenológica e respeitar a disponibilidade do paciente para essa atenção, visto que, no hospital, a demanda é médica. Nesse contexto, a atitude clínica terapêutica é situacional, com foco no que emerge naquele momento de aflição, na proteção da saúde tanto do paciente quanto dos seus familiares.

Para nos aproximarmos do sofrimento dessas pessoas, é necessário compreender o que é queimadura e como se dá o processo de hospitalização e tratamento. A queimadura é considerada uma patologia aguda e de alta complexidade, envolvendo aspectos orgânicos e psicossociais.

Para Gomes, Serra e Pellon (1995), a lesão por termoagressão é uma doença aguda grave provocadora de destruição total ou parcial da cobertura cutânea pela ação do calor, com complicações de natureza tóxica e infecciosa. Sua evolução acontece de modo rápido e imprevisível, exigindo atendimento médico específico, com intervenção clínica imediata e preventiva das possíveis complicações que podem surgir em qualquer momento da evolução do tratamento.

Pela complexidade da patologia, é necessário avaliar e conhecer a etiologia (causa), a profundidade (graus I, II e III) e a extensão, em percentual, da área corporal lesada. Só assim se definem a gravidade e o prognóstico e se estabelece uma conduta terapêutica visando ao controle das alterações hemodinâmicas, metabólicas e aos procedimentos necessários a cada caso. Isso significa que, quanto mais profunda e maior a extensão das lesões, mais complexo é seu tratamento, com possíveis sequelas funcionais, amputações e alto índice de mortalidade por sepse, devido às alterações imunológicas provocadas pelo trauma e pela lesão térmica (Gomes, Serra e Macieira, 2001; Lima Junior e Serra, 2004; Lima Junior *et al.*, 2008).

Acrescentam ainda os autores que a pele é o revestimento do corpo e, como órgão, o mais extenso e de vital importância; atua como auxiliar do metabolismo humano, cuja função é a defesa do organismo. Por essa compreensão, de acordo com a literatura médica, o paciente queimado é considerado imunodeprimido. Sua possível falência imunológica é proporcional à extensão da área lesada, associada a outros fatores agravantes, tais como: profundidade, etiologia, idade, comorbidades, condição geral e situação de vida – incluindo, naturalmente, seu estado emocional.

Isso significa que, devido à perda da integridade da pele e à gravidade do quadro, e dependendo de como o paciente responde ao tratamento, ele pode não sobreviver ou correr risco de vida. É necessário que seu tratamento seja alicerçado no trabalho de uma equipe interdisciplinar, coesa e dinâmica, com bom preparo técnico-científico e que possa oferecer suporte a um processo tão complexo e demandante. Espera-se, com isso, que o paciente responda de modo positivo e adequado em direção à autorregulação organísmica.

É relevante ressaltar, portanto, sobretudo para nós, Gestalt-terapeutas, que a pele é considerada superfície de contato e comunicação, visto que reage a estímulos, expressa e transmite uma linguagem. A linguagem cutânea apresenta sensações e emoções visíveis ao observador: arrepia-se, ruboriza-se, empalidece, transparece conforto ou desconforto com as trocas ambientais... E aqui já estamos falando do que acontece na fronteira de contato, um dos construtos-chave da Gestalt-terapia.

Ultrapassando nossos conceitos teóricos, há de se considerar que, com a queimadura, a fisiologia da pele se modifica, perdendo a vitalidade anterior; mudam a textura, a sensibilidade, a tonalidade, a temperatura, levando o paciente a um novo/ mesmo corpo ou partes do corpo e ao contato com uma nova imagem corporal, agora imperfeita e bastante desconfortável.

Como Gestalt-terapeutas, indagamo-nos: que comprometimento emocional esse trauma pode desencadear no paciente, já que o tratamento o coloca num limiar de suportabilidade da dor e do sofrimento?

Lembrando Távora (2014), e articulando seu pensamento com o que foi discutido até o momento, vamos observar, em nosso paciente, a organização do seu *sistema self*, sua subjetividade e seu modo de reagir à experiência vivida aqui e agora, bem como suas possibilidades de ressignificar seus processos e sentidos diante da situação de crise. Assim nos diz a autora, apontando o processo ativo do *self*:

> Nessa perspectiva *self* pode ser bem evidente, como o processo ativo e permanente de perceber, selecionar, interpretar, sentir, valorizar, estimar, prever, agir, integrar e dar sentido a si e ao ambiente, mapeando a si mesmo enquanto em ação no campo. (Távora, 2014, p. 65)

Para Pimentel (2003, p. 47*)*, "o equilíbrio alcançado proporciona a realização da *awareness* como integração criativa do movimento saudável do organismo". A autora considera que um organismo saudável, na perspectiva do *sistema self*, fala de um modo de interagir sem fugir do contato, contextualizando e avaliando a experiência vivida.

A importância de nos situarmos quanto ao *sistema self* foi evidenciada por Perls, Hefferline e Goodman (1997), por ser o sistema de ajustamentos criativos e autorregulação que responde às necessidades emergentes, com identificações ou alienações da pessoa em cada situação.

No mesmo sentido, e segundo Souza-Quintas (2008), pelas rupturas sofridas e perdas reais causadas pelo acidente, diante de tantas solicitações da equipe para o tratamento necessário e das múltiplas adaptações a esse novo campo de experiência, convocamos o paciente a entrar em contato com o que está acontecendo agora. As figuras, nesse momento, podem emergir de modo confuso ou distorcido, modificando-se após o impacto inicial e tornando-se mais claras e definidas.

No entanto, não é tão simples: vamos deparar com um universo pessoal muito próprio, com inúmeras particularidades, complexo e cheio de desafios. Isso porque o paciente confronta-se com um novo/mesmo corpo queimado, ferido e desfigurado, momento de contato profundo com a fragilidade, o desamparo, a solidão e a morte – presentes como possibilidade ameaçadora. Estranheza e inconformismo. Diante de nós, o homem desabrigado! Ele precisa atravessar seu tratamento da melhor forma que puder: suportar, aceitar e superar... Lutar!

Por tudo isso, e nesse contexto, descortina-se um modo de cuidar do sofrimento do outro como condição de suporte necessário ao momento vivido, discutido aqui pelo viés da Gestalt-terapia.

COMPREENDENDO A EXPERIÊNCIA DO PACIENTE QUEIMADO

Buscando contextualizar o cenário hospitalar, constata-se que a doença aguda provoca rupturas e profundas afetações. Trata-se de um processo de ordem e desordem, que causa perplexidade e desconstrói todas as certezas, aproximando-nos, concretamente, da possibilidade de morte. Revelam-se a complexidade humana e a nossa finitude, pela fragilidade e pelo desamparo expostos concretamente nesse ambiente de dor e de sofrimento. E lado a lado, juntando forças, integrando saberes e possibilidades, buscamos amparar, sustentar e favorecer a travessia das necessidades desse paciente.

É preciso que ele atravesse cada etapa do tratamento e suporte as dores, encontrando coragem para prosseguir e acreditar na recuperação. Há uma realidade a ser enfrentada, o biológico, o existencial, o social, indissociáveis. Criamos proteções (heterossuporte), para abrigá-lo em momentos tão difíceis. O paciente não está só! Nesse espaço institucional, a equipe e o Gestalt-terapeuta procuram favorecer o fluxo autorregulativo, acreditando em sua recuperação. No entanto, por se tratar de grandes alterações decorrentes das queimaduras, os riscos são reais, podendo se instalar uma falência inevitável, consequente da gravidade da patologia, que o organismo poderá não suportar.

Nas palavras de Lima (2014, p. 100), encontramos respaldo teórico para essa questão: "O processo psicoterapêutico busca, por meio da *awareness*, permitir que o fluxo autorregulativo se estabeleça plenamente, o sintoma seja ressignificado e outros modos de agir e estar no mundo, menos restritivos, sejam alcançados".

Esperamos a estabilidade, somos cuidado e ofertamos cuidado. No entanto, estamos todos diante dos mistérios da condição humana, instabilidades e incompletudes, possibilidades e impossibilidades, mistério! Por um lado, os desafios da medicina; por outro, as questões fundamentais da existência humana, como vida e morte, angústia, solidão, sobrevivência... luta e esperança! Somos assim, cotidianamente, desafiados a acreditar no potencial criador e nas infinitas possibilidades existenciais de qualquer pessoa nessa existência.

Cardella (2014, p. 110) também nos auxilia no que queremos aqui comunicar:

> Para tornar-se real, é preciso tornar-se *humano*; o homem é ser de precariedade, ser de necessidades, aberto ao outro. Para tornar-se humano, as necessidades éticas fundamentais devem ser contempladas, é preciso ter encontrado o cuidado ético: a singularidade acolhida pelo mundo humano e em constante devir.

Implicados com a tarefa de ser cuidadores de pacientes queimados e tentando compreendê-los melhor, estamos constantemente nos questionando: em que circunstâncias a pessoa adoeceu? Como isso se percebe em sua situação atual? Como cuidar dessa possível desordem?

Para cuidar do sofrimento da pessoa acometida por queimaduras, há de se considerar, além da situação vivida, seu contexto de vida e sua rede de apoio familiar e psicossocial. Precisamos saber o que aconteceu e qual é a dimensão real do trauma sofrido. O adoecer agudo poderá acontecer na vigência de uma crise, sobreposto a outras situações difíceis de solucionar, acompanhadas de uma crise pessoal já em andamento, como no caso do adolescente, do idoso, durante a fase de um divórcio, luto, entre outras situações da vida cotidiana.

Seja qual tenha sido a circunstância em que o acidente aconteceu, ou a situação de crise pessoal daquele momento, seremos desafiados a cuidar de uma pessoa que reagirá a seu modo. A fronteira de contato poderá estar tensa, e a pessoa talvez lance mão de mecanismos de evitação ou fuga, compreensíveis como mecanismos temporários saudáveis...

A subjetividade do paciente, diante do acontecido e das perdas próprias da situação, deverá nortear nossa atuação clínica. Seguimos a seu lado compreendendo seu modo de interagir e de se sustentar. É possível que seus recursos de autossuporte, nesse momento, não sejam suficientes. Ele precisará muito de heterossuporte, do suporte ambiental. Deverá se beneficiar dos recursos da medicina, da atuação dos demais profissionais de saúde e dos nossos conhecimentos sobre saúde mental, mecanismos autorreguladores, ajustamentos criativos funcionais e disfuncionais.

Precisamos identificar onde há fluidez e bloqueios, intervindo para que o paciente, apesar do momento de fragilidade e sofrimento, possa se conscientizar de suas necessidades, do tratamento proposto e das possibilidades de recuperação da saúde, responsabilizando-se pela parte que lhe cabe nesse processo. Nesse sentido, e tomando como fio condutor o conceito de autorregulação organísmica, Cardella (2002, p. 65) nos mostra que

para a Gestalt-terapia, portanto, o processo de autorregulação organísmica depende, além da agressão, da *awareness* do indivíduo, ou seja, da sua capacidade de discriminar e, consequentemente, assimilar o que é nutritivo e rejeitar o que é tóxico, o que resulta em crescimento segundo processos de ajustamento criativo.

Para Goldstein (*apud* Lima, 2014), a autorregulação organísmica é um princípio natural do organismo, uma perspectiva holística em função da manutenção e das condições estáveis da vida.

Nas queimaduras, portanto, constata-se, com a desorganização hemodinâmica provocada pelo trauma sofrido, que o equilíbrio se desfaz, solicitando do organismo mecanismos estabilizadores adicionais, também exigindo suportes extras, como o nutricional, o emocional – além dos procedimentos médicos e de enfermagem, entre outros, necessários a cada caso. Assim, fica claro que na dinâmica de sua totalidade o organismo busca a autorregulação. O fenômeno acontece no organismo total e, como afirma Cardella (*op. cit.*), é a hierarquia das necessidades do paciente nesse momento de crise e a *awareness* que poderão dar sentido à experiência vivida, saindo das interrupções naturais e deixando fluir a energia necessária ao processo homeostático e à sobrevivência.

É fato que, em sua unidade, afetado pelo acidente e pela crise instalada, o paciente concentra a atenção no corpo ferido, na dor e no seu sofrimento. Estaremos atentos ao comprometimento *biopsicossocial* e *espiritual* do doente, trabalhando, sobretudo, no sentido da autorregulação organísmica e da reorganização da sua autoimagem nesse momento modificada pelas feridas – lesões reais, que doem de modo irremediável e se mostram presentes na concretude da situação.

O filósofo Martin Heidegger (2001) explica que corporeidade tem um sentido especial: é condição ontológica do sujeito e já aponta para a totalidade do ser. O corpo, segundo ele, é um existencial, uma dimensão constitutiva do ser e, portanto, inseparável das suas experiências e de seus significados. Considera que o corpo está para além do organismo físico; trata-se de um modo de ser nas diferentes formas de afetação. Integra todas as relações do ser-no-mundo, ampliando nossa compreensão do que acontece com nossos pacientes.

Segundo essa compreensão, a desorganização não se restringe à patologia, mas à singularidade da pessoa adoecida e das avaliações que ela faz sobre seu adoecer. Em minha experiência clínica com pacientes queimados, testemunhei o que eles podiam me comunicar e o que nos diz Heidegger sobre corporeidade. O corpo físico ali ferido, doído, está repleto de sentidos existenciais. Durante os vários encontros em atendimento psicológico, percebi em cada um deles modos de reagir que solicitavam de mim, como Gestalt--terapeuta, atenção, cuidado e intervenções clínicas adequadas e com a eficácia necessária ao enfrentamento da crise instalada, decorrente do trauma sofrido (Souza-Quintas, 2003; 2008; 2009; 2013).

Afetados e por demais solicitados pela equipe de saúde, diante dos desafios diários e dos desdobramentos próprios ao tratamento, prolongado e doloroso, alguns doentes reagiam, restringindo seu potencial organísmico e o autossuporte necessários ao enfrentamento deste momento de crise aguda.

Observei muitas vezes, também, que a dor e o sofrimento podem enfraquecer ou retirar a crença na cura e a pessoa assistida sentia-se incapaz de suportar a situação: perdia a esperança, suplicando para morrer. Outros utilizavam mecanismos de fuga, negando-se a ficar hospitalizados, enquanto alguns esperavam soluções da equipe, entregando-se aos cuidados numa postura de vitimização, pela vivência do insuportável para eles.

Havia também aqueles que se reconheciam capazes, apesar do sofrimento, e se mantinham no esforço de superação. Como disse certa vez uma paciente durante nosso encontro: "[...] é nesse momento que a gente descobre a reserva de força, e acho que tudo que recebemos ajuda muito, mas só cada um pode dar a direção à sua recuperação".

Por tudo isso, é necessário identificar a fenomenologia da pessoa, sua dinâmica pessoal, para intervir fortalecendo seus recursos de enfrentamento. O paciente deixa emergir uma figura que naturalmente vem de um fundo repleto de acontecimentos, histórias, valores socioculturais e potencialidades. Reações e sintomas revelam a dinâmica fundamental figura/fundo. Emergem lembranças do passado, sua história, suas dificuldades, crenças, sonhos e projetos futuros – agora, pelo acidente, considerados perdidos, distantes de realizar.

Frazão (2015, p. 95) aponta a importância da relação figura/fundo, afirmando que "é preciso compreender a relação entre aqui e agora e lá e então; do passado com o presente; entre a figura/queixa e o fundo, pois é a relação figura/fundo que dá sentido à figura".

A dinâmica figura/fundo revela-se infinitamente e, a todo momento, evidencia os modos como cada pessoa responde aos acontecimentos de sua vida. É necessário que se trabalhe com vistas ao princípio organizador, provocando atenção e contato pleno para que ajustamentos criativos normalizadores, mais adequados e funcionais, sejam utilizados como autossuporte para o enfrentamento do tratamento necessário.

Quando intensificamos o contato, na maioria das vezes as figuras emergem distorcidas e nebulosas, destacando-se aqui o corpo percebido na sua condição real: ferido, doído e deformado pelas queimaduras, o ambiente da enfermaria, as relações com os cuidadores, os procedimentos necessários, medos, fantasias de destruição, desânimo, inconformismo, impotência ou falta de esperança. Tudo isto poderá bloquear o acontecer da *awareness*, impedir que o paciente ressignifique, restabeleça o fluxo autorregulativo e se estabilize, encontrando suas possibilidades e novas estratégias de sobrevivência.

Nota-se com frequência que o paciente quer contar, em detalhe, como era sua vida antes do acontecido; lamenta, expressa sentimentos diversos e, nesse processo, não presta atenção ao que está acontecendo agora. É necessária uma escuta clínica diferenciada, respeitosa e amorosa, sem soluções prontas, sem projetar o depois, sem minimizar o que está sendo expresso como pura expressão do melhor possível para aquele momento: raiva, negação, evitação, inconformismo...

Concentramos nosso trabalho na travessia do antes para o depois, ou seja, no entre, no aqui-agora, no momento presente. Por certo o agora da situação é o insuportável, exatamente o que muitas vezes o paciente quer evitar. Porém, considerando as necessidades urgentes do momento e o possível jogo de evitação do paciente, devemos trabalhar para favorecer o confronto com a condição de sofrimento atual que muitas vezes impede o contato pleno e, em consequência, a conscientização da parte que lhe cabe no tratamento e na reabilitação (Souza-Quintas, 2003; 2008; 2009; 2013).

Segundo Pinto (2009), considerar a situação é fundamental nesse processo, bem como que paciente e terapeuta

Enfrentando crises e fechando *Gestalten*

encontrem juntos ações facilitadoras de *awareness*, com atividades o mais estimulantes possível, pela urgência, os limites e os objetivos de cada encontro. Chama atenção para a utilização de defesas e bloqueios do contato, devendo o terapeuta avaliar cuidadosamente se as reações se encontram proporcionais e adequadas àquela situação.

De acordo com Polster e Polster (1979), tudo acontece trabalhando-se por meio das funções de contato: visão, olfato, toque, gestos em conexão com o livre fluir na fronteira de contato, buscando-se favorecer o emergir de figuras mais claras e definidas. É necessário, sempre, perceber como acontece a dinâmica figura/fundo e o que pode ser expresso naquele momento pelo paciente e testemunhado durante os encontros.

A situação poderá ser ressignificada se vista de frente, possibilitando-se a expressão dos sentimentos, que só poderão ter sentido para quem conta sobre si mesmo. A linguagem como modo de comunicação e expressão certamente será facilitadora de mudanças necessárias ao processo de recuperação da saúde. Buscamos, em cada encontro, a integração do que está dissociado, das polaridades reveladas durante os atendimentos, integrando o perdido com novo olhar.

É necessário integrar forças; eles poderão utilizar seus recursos de enfrentamento e, confrontando-se com as dores e com as limitações do momento, *des-cobrem* o que nem percebiam de si mesmos como potência – forças que, pela concretude da fragilidade física em que se encontravam, não conseguiam identificar.

No entanto, pelo estado de vulnerabilidade do momento, na maioria das vezes necessitam de amparo e suporte para atravessar tamanha descontinuidade existencial e alcançar a *awareness* que integra e transforma.

Na clínica, não há modelos prontos; a subjetividade do paciente apontará suas necessidades e seus recursos de enfrentamento possíveis para aquele momento. Não podemos esquecer que, na dinâmica figura/fundo, poderá haver contato sem que aconteçam mudanças, visto que nem todo contato promove *awareness* (Perls, Hefferline e Goodman, 1997). Nesse mesmo sentido, Frazão (2015, p. 87) afirma que

> contato com *awareness* empobrecida resulta em contato que carece de qualidade. É o processo de contato de boa qualidade que propicia que a interação indivíduo/ambiente seja nutritiva e que ocorram mudanças no campo relacional pessoa-ambiente, isto é, crescimento e desenvolvimento.

Acreditamos e lutamos para que o paciente queimado, num possível contato nutritivo, *aware* da experiência atual e até mesmo afetado pelas circunstâncias do momento, consiga reconfigurar e ressignificar percepções distorcidas e confusas. Que ele, integrando processos relacionais, possa sair do estado debilitado e de desamparo para participar da sua recuperação, afirmando sua potência de vida e de sobrevivência, se for possível.

REFERÊNCIAS

Cardella, B. H. P. *A construção do psicoterapeuta: uma abordagem gestáltica*. São Paulo: Summus, 2002.

_____. "Ajustamento criativo e hierarquia de valores e necessidades". In: Frazão, L. M.; Fukumitsu, K. O. (orgs.) *Gestalt-terapia: conceitos fundamentais*. São Paulo: Summus, 2014.

FRAZÃO, L. M. "Compreensão clínica em Gestalt-terapia: pensamento diagnóstico processual e ajustamentos criativos funcionais e disfuncionais". In: FRAZÃO, L. M.; FUKUMITSU, K. O. (orgs.). *A clínica, a relação psicoterapêutica e o manejo em Gestalt-terapia.* São Paulo: Summus, 2015.

GOMES, D. R.; SERRA, M. C.; MACIEIRA, L. *Condutas atuais em queimadura.* Rio de Janeiro: Revinter, 2001.

GOMES, D. R.; SERRA, M. C.; PELLON, M. A. *Queimaduras.* Rio de Janeiro: Revinter, 1995.

HEIDEGGER, M. *Seminários de Zollinkon.* Ed. Medard Boss. São Paulo: Educ; Petrópolis: Vozes, 2001.

LIMA, P. V. A. "autorregulação organísmica e homeostase". In: FRAZÃO, L. M.; FUKUMITSU, K. O. (orgs.) *Gestalt-terapia: conceitos fundamentais.* São Paulo: Summus, 2014.

LIMA JUNIOR, E. M. L. *et al. Tratado de queimaduras no paciente agudo.* 2. ed. Rio de Janeiro: Atheneu, 2008.

LIMA JUNIOR, E. M. L.; SERRA, M. C. *Tratado de queimaduras.* Rio de Janeiro: Atheneu, 2004.

PERLS, F.; HEFFERLINE, R.; GOODMAN, P. *Gestalt-terapia.* São Paulo: Summus, 1997.

PIMENTEL, A. *Psicodiagnóstico em Gestalt-terapia.* São Paulo: Summus, 2003.

PINTO, E. B. *Psicoterapia de curta duração na abordagem gestáltica: elementos para a prática clínica.* São Paulo: Summus, 2009.

POLSTER, M.; POLSTER, E. *Gestalt-terapia integrada.* São Paulo: Summus, 1979.

SOUZA-QUINTAS, J. *Vividação na pele restaurada: limite entre o viver e o morrer do paciente grande queimado e o cuidado da equipe hospitalar.* Dissertação (mestrado em Psicologia Clínica), Universidade Católica de Pernambuco, Recife (PE), 2003.

_____. "Suporte psicológico ao paciente". In: LIMA JUNIOR, E. M.; SERRA, M. C. *Tratado de queimaduras no paciente agudo.* Rio de Janeiro: Atheneu, 2008.

_____. "Vividação e situação-limite: a experiência entre o viver e o morrer no cotidiano do hospital". In: MORATTO, H. T. P.; BARRETO, C. L. B. T.; NUNES, A. P. (coord.). *Aconselhamento psicológico numa perspectiva fenomenológica existencial: uma introdução.* Rio de Janeiro: Guanabara Koogan, 2009.

_____. *Nos corredores de um hospital: a experiência de ser psicóloga numa instituição pública de saúde.* Recife: Ed. do autor, 2013.

SPENCER JUNIOR. *O homem precário: colisões entre o nada e o vazio: um ensaio sobre a ontologia fraca do humano.* Recife: Ed. do autor, 2015.

TÁVORA, C. B. "Self e suas funções." In: FRAZÃO, L. M.; FUKUMITSU, K. O. (orgs.). *Gestalt-terapia: conceitos fundamentais.* São Paulo: Summus, 2014.

3.
Processos autodestrutivos: do luto do "antigo *self*" à reinvenção criativa do *self*

KARINA OKAJIMA FUKUMITSU

Dizem Perls, Hefferline e Goodman (1997, p. 166, grifos meus):

> A dor é primordialmente um sinal, chama atenção para um perigo atual iminente, por exemplo, a ameaça a um órgão. A resposta espontânea a essa ameaça é afastar-se do caminho ou, se isso falhar, aniquilar o elemento ameaçador. [...] O sofrimento emocional é um meio de impedir o isolamento do problema para que, trabalhando o conflito, o *self* cresça no campo existente. Quanto mais cedo estivermos dispostos a afrouxar a luta contra o conflito destrutivo, a relaxar com relação à dor e à confusão, tanto mais cedo o sofrimento terminará. (Essa interpretação do sofrimento do luto como meio de permitir que o **antigo *self*** se solte para que mude explica por que o luto é acompanhado de comportamentos autodestrutivos, como arranhar a pele, golpear o peito, arrancar os cabelos.)

Esse ensinamento de PHG provocou em mim reflexões acerca do sofrimento existencial que se torna visível nos processos autodestrutivos, cujo ápice culmina no suicídio.

"Suicídio é um termo que deriva de dois vocábulos latinos: *sui* ('de si mesmo') e *caeděre* ('matar'), ou seja, matar-se a si mesmo" (https://conceito.de/suicidio).

De acordo com a Agenda Estratégica de Prevenção do Suicídio (Ministério da Saúde, 2017), entre 2011 e 2016 foram notificados 176.226 casos de lesões autoprovocadas, das quais 27,4% foram tentativas de suicídio. Onze mil pessoas se mataram em 2017, o que representou a quarta maior causa de morte em jovens de 15 a 29 anos.

Tenho certeza de que a apavorante constatação das inúmeras mortes por suicídio e dos casos de autolesão tira, além do meu, o sono de qualquer ser humano que assume o compromisso de acolher a vida. A impressão é a de que vivemos em tempos de impotência e de desesperança absoluta, que geram a sensação de que não há alternativas para lidar com o sofrimento existencial.

Existe a crença de que o suicídio é um "grito de socorro", como pontuado por Frazão (2012, p. 12): "Em palestra proferida há muitos anos, referi o gesto do suicida como sendo um 'grito silencioso de socorro'". Tenho aprofundado a compreensão do foco daquele que "gritou silenciosamente por socorro" por meio de sua morte. Talvez o endereçamento do grito não estivesse direcionado para que outros pudessem atender ao pedido de ajuda, pois se assim o fosse a pessoa teria comunicado antes de consumar sua morte. Dessa forma, aquele que se mata atende ao próprio "grito de socorro", encarregando-se da tarefa de acolher seu pedido e tornando-se protagonista do ato de aniquilar o que o "mata" e lhe provoca sofrimento. Nesse sentido, quando compreendemos que o grito não foi

Enfrentando crises e fechando *Gestalten*

diretamente endereçado às pessoas do entorno, percebemos que o ato suicida é um ato de comunicação único e exclusivo da pessoa que tirou a própria vida. E, portanto, "a verdade se foi com quem se matou", afirmação que utilizo em acolhimento de posvenção (Fukumitsu, 2018b). É impossível compreender as motivações exatas que levam alguém a se matar ou a se automutilar, e qualquer tentativa de explicação de um suicídio ou da automutilação seria elucubração. Aprendi, em conversa informal com a dra. Marina Lemos Silveira Freitas, que "desespero" para Viktor Frankl, precursor da logoterapia, significa "sofrimento sem sentido". Concluí que o sofrimento existencial pode ser compreendido como um estado de tensão no qual quem sofre não consegue compreender por que sofre. O sofrimento, portanto, é precipitador, o que "precipita a dor" de uma pessoa.

COMPORTAMENTOS AUTODESTRUTIVOS COMO ATOS REPETITIVOS DE COMUNICAÇÃO DO SOFRIMENTO EXISTENCIAL

O mundo vai girando cada vez mais veloz / A gente espera do mundo e o mundo espera de nós / Um pouco mais de paciência. [...] / Mesmo quando tudo pede um pouco mais de calma / Até quando o corpo pede um pouco mais de alma / Eu sei, a vida não para. (Lenine, "Paciência")

Como cuidar de nós em meio a uma vida frenética na qual muitas vezes somos "engolidos" pela intensa lista de afazeres? Ilustro essa questão com algumas das minhas experiências que têm consonância com os atendimentos clínicos às pessoas com comportamentos autodestrutivos.

Como durante o "Setembro Amarelo", o mês da prevenção ao suicídio, dediquei meu tempo interinamente às ações de acolhimento e cuidado ao sofrimento existencial, decidi que 1º de novembro seria meu *day off* – imaginando, inclusive, que teria finalizado este capítulo. Propus, nesse dia, dedicar-me apenas a mim mesma e à minha família.

Combinamos, Lilian e eu, que o prazo de entrega dos capítulos para este volume seria o dia 30 de outubro. Porém, atrasei a entrega em três dias, fato absolutamente inédito na história da organização da Coleção Gestalt-terapia. Aliás, essa foi a primeira vez que falhei em algum prazo na minha vida. Tamanha era minha rigidez que pensei em desistir de fazer parte desta obra. Senti vergonha, pois até então atrasos significavam desrespeito. Porém, lembrei-me de uma frase de Robine (2005, p. 105) que me ajudou a prosseguir, apesar da autocobrança: "[...] cada vez que estou em uma situação que me faz sentir que deveria ser de algum modo diferente do que sou, estou em uma situação de vergonha".

Em virtude de aprendizagens advindas da recuperação da inflamação cerebral de que fui acometida em 2014, aprendi que toda situação considerada caótica merece um novo planejamento. Logo, o ajustamento criativo precisou ser feito em meu dia tão esperado de descanso: buscar meu filho na escola, almoçar com ele, levá-lo à aula de inglês e, enquanto o aguardava, redigir o capítulo no *laptop*. Depois da aula, rumar para casa e passar o resto da tarde com minha filha, que já estaria em casa. Convicta de que conseguiria finalizar o capítulo, uma vez que faltava apenas aperfeiçoar os detalhes, curtiria meu marido e, durante o resto da noite, desfrutaria do grande dia. Mas, como sempre, o "mas" existe...

Estranhamente, quando estava escrevendo este capítulo na sala de espera da escola de inglês, fui invadida por um sono intenso. Digo "estranhamente" porque não tenho o costume de dormir à tarde. Além disso, a necessidade de dormir quando se está com sono seria perfeitamente satisfeita se eu estivesse em casa ou no consultório, locais de pertencimento. Mas, para meu desespero, eu estava na escola de inglês. "Justo agora que estou quase acabando meu capítulo vem esse sono danado que me tira do prumo controlável?" Apesar de bastante brava com o sono, dei vazão ao que meu organismo pedia e aceitei tirar um cochilo. Tempos atrás, antes da inflamação cerebral, tenho certeza de que negaria meu sono, teceria recriminações a respeito de sempre me sentir cansada por fazer várias coisas ao mesmo tempo, tomaria um café, daria uma volta no quarteirão e voltaria aos afazeres. No entanto, escolhi "escutar" meu corpo e respeitei meu sono. Deixei o computador de lado, coloquei a cabeça sobre as mãos e dei ao meu corpo a autorização de tirar um cochilo, sabendo que meu filho sairia da aula duas horas depois.

Foram suficientes cinco minutos de cochilo para que eu sonhasse que estava em um desfiladeiro e que alguém havia me empurrado. Acordei sobressaltada do pesadelo de estar caindo. Felizmente, não havia ninguém para testemunhar o pulo que dei na cadeira. Aliás, o sonho de ser empurrada para desfiladeiros era repetitivo e constante antes do adoecimento. Depois da recuperação, ele não havia se repetido. Por isso, acredito que a sensação de ameaça constante de ser traída, de ser pega desprevenida, de estar em estado de alerta para não me machucar com relações malsucedidas fora ressignificada. Talvez a boa surpresa da constatação de ressignificação se pareça com o que

Cardella (2014, p. 107, grifos meus) descreve quando Perls se surpreendeu ao receber uma homenagem dos passageiros do navio quando partiu da África do Sul para os Estados Unidos:

> Nessa passagem, ele revela facetas de um sofrimento pessoal, comunitário e transgeracional, assinalando implicitamente anseios de pertencimento e enraizamento. Expressa a necessidade ontológica de pertencimento e de inclusão em uma comunidade. Para Perls, no fundo do eu havia um outro, uma comunidade. Pressentia a confiança e ansiava por ela (experiência de lugar na vida de um outro), terminando sua autobiografia interrogando a possibilidade de confiar. *Não poder confiar é nunca ter vivido a experiência de encontrar lugar na vida de um outro.* É estar desenraizado. Enraizar é, paradoxalmente, deslocar, desarrumar, desconstruir o mundo do jeito que se organizava, recriar o tradicional; é ser acolhido nessa desarrumação, atualizando o mundo a partir de sua singularidade, recriando-o.

O sonho recorrente e repetitivo falava de um "antigo *self*" que não podia confiar, pois nunca tinha "vivido a experiência de encontrar lugar na vida de um outro". Embora meus amores familiares – irmã, cunhado e sobrinhos, marido e filhos – sempre tenham me ajudado, confiar em pessoas "de fora da família" era um desafio. Sentia-me constantemente sem lugar de pertencimento, buscando "adoções" emocionais e relacionais. Antes da inflamação cerebral, era uma desalojada de mim mesma, assim como vários clientes que acompanho e tentam lidar com seus processos de morrência.

> O ser desalojado de si mesmo, em processo de morrência, já se sente morto em vida, triste e cético dele mesmo. Não encontra

mais sentido na vida e não acredita na perspectiva que outrora vislumbrou para si: uma vida potente, repleta de felicidade e de prazer que pudesse completá-lo suficientemente para continuar, apesar dos obstáculos. (Fukumitsu, 2018a, p. 105)

Quem vive o "processo de morrência" ou do definhar existencial (Fukumitsu, 2015, p. 149) tem dificuldade de tomar posse de si, de sua história e, principalmente, de sua capacidade de reagir às adversidades. Sente-se aprisionado no emaranhado de afazeres e inicia uma maratona de autoacusações por não dar conta da rotina frenética. Consequentemente, a sensação de estar desalojado de si mesmo provoca o sentimento de não pertencimento. O desalojado de si não consegue descobrir maneiras de se sentir pertencente em sua morada existencial; não percebe que nem sempre é ele que está inadequado e desacredita em sua potência e importância existencial.

Acompanho pessoas que se identificam como "mais um num mundo sem sentido". Dizem não acreditar na possibilidade de desfrutar de existir em sua máxima plenitude. Alguns deles se autointitulam "zumbis" e concordam com a descrição de estarem em processo de morrência, sobretudo quando se sentem "mais mortos do que vivos". São pessoas que deixaram de validar a si pela desconfirmação de outros e acabaram acreditando nas introjeções disfuncionais. Para Perls (1988, p. 48), "quando aquele que introjeta diz 'eu penso' geralmente quer dizer 'eles pensam'".

Desalojadas de si mesmas, as pessoas aprenderam a se anular, pois acreditaram ser o problema da situação problemática. Entraram em confluência disfuncional com os problemas que enfrentam. Para Zinker (2007, p. 60), confluência é a perda de diferenciação entre duas pessoas. O resultado característico dessa confluência é os dois não poderem mais discordar nem atritar entre si. O conflito criativo, ou simplesmente o bom contato, é sacrificado em nome de interações rotineiras, vazias, estáticas e seguras.

Nessa direção, acredito ser imprescindível, no trabalho com pessoas em processo de morrência, o incentivo da discriminação entre *o que é* problema para ela e *como* enfrenta seu problema, ou seja, *ter* um problema é diferente de *ser* um problema.

Quem se encontra nessa situação adapta-se de forma excessiva aos "deverias" e entra em conformidade e no conformismo de que nada mudará. Cria a falsa ideia de que tem de ser perfeito e extremamente correto e solícito às demandas do meio ambiente.

São 21h30 do dia 1º de novembro e ainda estou às voltas com minha escrita. Fui dormir mais uma vez com o dever ocupando minha cabeça, pois o objetivo de concluir este capítulo não foi totalmente atingido e o perfeccionismo me atingiu novamente em cheio. Perls (1979, p. 125) afirma: "Amigo, não seja perfeccionista. O perfeccionismo é uma praga e uma prisão. Quanto mais você treme, mais erra o alvo. Você é perfeito se se permitir ser". Precisei driblar a culpa, a autocobrança e o perfeccionismo. Permiti-me ser e tive autocompaixão ao pensar que não concluir as situações que ocupavam minha mente não significava que "nunca mais" as finalizaria. Lembrei-me do dito popular que reza que "no final, tudo acaba bem. Se não está bem é porque ainda não chegou ao final" e fui dormir.

Acordei às 7h do dia 2 de novembro de 2019, feriado de finados, para reiniciar minha escrita. Às 12h30 fui "sequestrada" novamente pelo sono intenso! "Era só o que me faltava. De novo esse sono?" – indaguei a mim mesma. Concomitantemente, pensei que é exatamente assim que acontece com os comportamentos autodestrutivos, ou seja, somos, ao mesmo tempo, vítima e algoz das nossas ações e não nos ofertamos, em alguns momentos, o acolhimento necessário.

A partir dessa constatação, tomei consciência de que eu era a "bola da vez de ser a autora atrasada" e aceitei. *A aceitação tem papel crucial para aquele que deseja diminuir o sofrimento* e, como digo no livro *Perdas no desenvolvimento humano: um estudo fenomenológico* (2012, p. 26), "sempre acreditei que as escolhas direcionam nossas vidas. Porém, existem as facticidades, que são as situações que não escolhemos e que não precisamos concordar, mas que precisamos aceitar". ACEITEI. Dessa vez, o cochilo durou cerca de 15 minutos. Ao acordar, disse a mim: "Se soubesse que dormiria apenas 15 minutos, não ficaria me condenando de novo pelo sono e pelo cansaço! O que são 15 minutos de descanso para quem está atrasada três dias?"

Identifiquei que a ruminação tomou grande parte do meu tempo e esvaiu minhas energias. Ruminação – ou, segundo Perls (1977, p. 82, grifos meus), "masturbação mental" (1977, p. 82, grifo meu) – é "[...] um sintoma que *pode estar encobrindo alguma outra coisa*. Mas, o que está aí, está aí. A Gestalt-terapia é estar em contato com o óbvio". Descobri que a masturbação mental encobria o que precisava enxergar: a relação direta com a rigidez de pensamento, uma das principais características do comportamento suicida, além da ambivalência e da impulsividade (OMS, 2000).

As ideias de "tudo ou nada" e do "nunca mais conseguirei o que desejo" provocam intenso sofrimento no ser humano e intensificam o desespero. A rigidez de pensamento culmina na constrição de percepções, pois ao se pensar que tudo é uma questão de "oito ou oitenta", "sempre ou nunca", o resultado será o pensamento polarizado entre "vida" *ou* "morte". No pensamento enrijecido e na masturbação mental a predominância é o "ou" em detrimento do "e". Assim, com a ruminação surgem a monotonia e o tédio, e a repetição de comportamentos estereotipados se instala. Ao mesmo tempo, são "convites" para o fazer diferente, como ensina Perls (1979, p. 86):

> A repetição compulsiva não é orientada para a morte, mas para a vida. É uma tentativa repetida de lidar com uma situação difícil. As repetições são investimentos no sentido da complementação de uma Gestalt de modo a libertar as energias para o crescimento e desenvolvimento. As situações inacabadas impedem o trabalho: são empecilhos no caminho da maturação.

Nada mais pertinente do que endossar a necessidade de atenção focalizada nos processos resultantes de um pensamento anacrônico. Além disso, é preciso atentar para as atitudes que se tornaram automatizadas, sobretudo cristalizadas, nas quais observamos a reação de persistência: "A reação de 'persistência' serve para inibir as emoções pela perda e manter a pessoa presente em fantasia" (Tobin, 1977, p. 161). Nesse sentido, podemos pensar que a repetição é a forma estereotipada evidenciada na masturbação mental com o objetivo de realizar a deflexão das emoções.

Assim, entendi não ser por acaso ter finalizado meu capítulo no dia dos mortos. Dei-me conta de que nada acontece

Enfrentando crises e fechando *Gestalten*

por acaso e que foi o campo, mais especificamente o princípio da contemporaneidade (Lewin, 1965), que me ajudou no caminhar da escrita. Lewin (*ibidem*, p. 52) ensina que "[...] qualquer comportamento ou qualquer outra mudança no campo psicológico depende somente do campo psicológico naquele momento", ou seja, em qualquer situação o estresse e a tensão, a fluidez e a interrupção do fluxo contínuo de *awareness* e a permeabilidade e plasticidade da fronteira de contato têm relação direta com o que ocorre no aqui e agora. Assim, nada do que nos acontece é em vão. Nas palavras de Robine (2005, p. 118), trata-se do "[...] princípio da contemporaneidade. É o presente o que explica, e concretamente não se procura nada no passado como causa ou no futuro como objetivo".

No dia 2 de novembro, na maior parte dos países ocidentais, ocorre um dos mais importantes rituais religiosos da tradição cristã católica, isto é, o Dia de Finados. Essa data tem por objetivo principal *relembrar a memória dos mortos*, dos entes queridos que já se foram, bem como (para os católicos) rezar pela alma deles. (Fernandes, s/d, grifos meus)

"Relembrar a memória dos mortos" é reverenciar nossos antepassados, nossas origens e nossa história. É buscar enraizamento e sentidos para nossa existência, que não nasceu por acaso. "Relembrar a memória dos mortos" é nos darmos a chance de aprender que cada pessoa tem seu tempo para se beneficiar da autotolerância, da compaixão e da possibilidade de viver no aqui e agora.

Certo dia vi em uma rede social uma frase de autor desconhecido que tem relação com o que foi dito: "A lagarta não precisa de um milagre para se tornar borboleta. Ela precisa de processo. Não fuja de seu processo". É comum desejarmos a fuga daquilo que nos faz mal. Essa fuga, chamada de deflexão, ocorre quando imaginamos que não conseguiremos dar conta da situação.

> Quem usa a deflexão se envolve com seu ambiente mediante acertos e erros. Entretanto, para ele isso geralmente se transforma em muitos erros e com apenas alguns acertos – na maioria acidentais. Assim, ou ele não investe energia suficiente para obter um retorno razoável, ou a investe sem foco, e a energia se dissipa e evapora. Ele termina esgotado e com pouco retorno – arruinado. (Polster e Polster, 2001, p. 86)

Para ressignificar a deflexão disfuncional são necessárias experiências que ofereçam segurança e sentimento de inclusão. *Para não fugir é preciso pertencer*. Nesse sentido, acolher e cuidar devem ser os propósitos para combater o sofrimento existencial que promove as fugas. Uma das frases de Perls (1988, p. 35) que mais adoro é: "Nem toda fuga é doentia, nem todo contato é saudável". Gosto dessa frase porque, diferentemente de outras abordagens da psicologia que incentivam a "quebra" da resistência, percebo que a Gestalt-terapia revela respeito às dificuldades inerentes ao enfrentamento de mudanças, sobretudo daquilo que nos faz sofrer. Infelizmente, acostumamo-nos com o que é ruim. O pior é que, se não tivermos plena atenção sobre a qualidade com que conduzimos a vida, somos pegos em um emaranhado confuso e atordoante que não nos permite descobrir onde está o início do fio da meada. A passagem do conhecido funcional para o desconhecido criativo é uma longa jornada. *Uma coisa é fugir da situação. Outra é fugir de si mesmo.* Assim, aquele que foge de si torna-se desertor de si. "Se a pessoa fugir de si para não lidar com o sofrimento que antecipa ser intolerável, torna seu comportamento autodestrutivo crônico, correndo o risco de se tornar 'vazio de si', e nenhuma 'morfina existencial' poderá abrandar [...] sua dor" (Fukumitsu, 2015, p. 199). Do que fugimos quando existe a autodestruição? Para que fugimos quando destruímos o conhecido? Por quanto tempo suportaremos a retroflexão? Essas são as principais perguntas que merecem atenção no trato dos processos autodestrutivos.

> Quando uma pessoa *retroflexiona* um comportamento, trata de si mesma como originalmente quis tratar a outras pessoas ou objetos. Para de dirigir suas energias para fora, na tentativa de manipular e provocar mudanças no meio que satisfaçam suas necessidades; ao invés disso, redirige sua atividade para dentro e se coloca no lugar do meio como alvo de comportamento. À medida que faz isso, cinde sua personalidade em agente da ação. Torna-se, literalmente, seu pior inimigo. (Perls, 1988, p. 54)

Quando compreendemos que os processos autodestrutivos são aprendizagens; que não viemos ao mundo com inclinação para nos aniquilar e, ao contrário, nascemos com um instinto de sobrevivência que nos impulsiona para a vida, resgatamos a esperança de ser possível confiar na autorregulação organísmica que nos auxilia na ampliação das possibilidades de enfrentamento.

SOBRE O LUTO DO "ANTIGO *SELF*" PARA
REINVENÇÃO CRIATIVA DO *SELF*

> O conteúdo de minha experiência também está num fluxo constante, em processo. Se consigo não me interromper, conteúdos tediosos ou desinteressantes podem se transformar em material rico, colorido, exótico. A experiência concomitante deixa de ser algo sem vida e aborrecido para ganhar excitação e vibração. (Zinker, 2007, p. 102)

Falamos anteriormente sobre a masturbação mental que nos paralisa. A ruminação acontece quando a pessoa encontra dificuldades de deixar ir o conhecido. Para conquistar o bem-estar é preciso aprender a "deixar ir". Assim, o processo de luto surge como resposta àquilo que provoca sofrimento e que "é convite para lidar com a falta; com o resgate da fé; com o acolhimento do não saber; com a tolerância para informações mal respondidas" (Fukumitsu, 2013, p. 66). Desse modo, o luto é o potencial para aprender o diferente, que assinala potência criativa de uma situação de crise:

> Se existe sofrimento há muito a se caminhar e a ser destruído e aniquilado e muito a ser assimilado, e durante esse período ele [o homem] não deve se dedicar a seu trabalho sem importância, suprimindo de maneira deliberada o conflito. Por fim, o trabalho de luto se completa e a pessoa está mudada, e adota um desinteresse criativo; imediatamente outros interesses tornam-se dominantes. (Perls, Hefferline e Goodman, 1997, p. 166)

É a partir do sofrimento existencial que uma Gestalt inacabada emerge no desenvolvimento humano, e se o sofrimento

Enfrentando crises e fechando Gestalten

diz respeito à condição inerente de ser humano, penso que cabe a nós modificar aquilo que não está em comum acordo com nosso equilíbrio. Nesse sentido, vale a questão: "Seria possível promover ações destinadas às pessoas com comportamentos autodestrutivos?" Acredito que sim, desde que nos demos chances de construir relações nutritivas que sustentem o encorajamento para continuar, para lidar com os grandes conflitos verdadeiros que Maria Cecília Peres do Souto (2012, p. 34) explica com maestria:

> Grandes conflitos verdadeiros são evitados; pequenos conflitos simbólicos e grandes conflitos falsos são superestimados. Para se contrapor a esse comportamento neurótico de necessidade de vitória e distorções, a Gestalt-terapia propõe o "desprendimento criativo" que os autores [PHG, 1977] colocam como uma "atitude peculiar do *self* espontâneo".

A ARTE DE UTILIZAR O TEMPO A NOSSO FAVOR É A CONQUISTA DO BEM-ESTAR

Identifico a carência de um olhar atento, sobretudo das instâncias políticas, para os processos autodestrutivos. Concomitantemente, tenho realizado trabalho psicoeducativo com o objetivo de conscientizar as pessoas de que a prevenção dos processos autodestrutivos requer constante olhar para nós e para o outro. Ser cuidador de si implica um processo de alojar-se – ou, em outras palavras, de viver o luto do conhecido e se lançar para a ousadia de desvelar novas facetas que podem ser descobertas por meio do enraizamento, da reverência pela própria história e trajetória existencial. É possível desenvolver ações direcionadas às pessoas em intenso sofrimento a fim de que o suicídio não seja a última opção no desenvolvimento humano. Desse modo, acolhimento ao sofrimento e cuidado nas esferas biopsicossociais devem ser nosso foco principal.

Tenho ensinado que "o acolhimento é o que sedimenta o solo que foi fragmentado pela dor" (Fukumitsu, 2019, p. 17). Sagrada se torna a relação com outros que nos nutrem. Estes alimentam a alma e apaziguam as dores.

Gosto de um ensinamento de uma postagem virtual cujo autor desconheço. Se trocarmos o G pelo C da palavra "AMARGURA", o resultado será "AMAR CURA". Acho linda a possibilidade "da cura" por meio da relação com o outro, uma vez que não somos sem o outro. Mas somente cada um de nós terá a responsabilidade de se reinventar.

A reinvenção do *self* implica desenvolver ações destinadas às pessoas com comportamentos autodestrutivos. É preciso discriminar qual será a "batalha" em que se deve entrar. Nessa direção, penso que seja possível ressignificar os comportamentos autodestrutivos, sobretudo no que se refere ao luto do "antigo *self*" apontado por PHG.

Lembrei-me de uma frase que escutei de Erving Polster, Gestalt-terapeuta com quem tive o privilégio de "ser trabalhada" em *workshop*. Ele me disse: "A primeira vez é acidente. A segunda vez é coincidência. A terceira vira hábito". Assim, se o comportamento autodestrutivo é aprendizagem, o hábito de buscar alternativas que visem ao bem-estar também o é. Em outras palavras, na contramão do que nos destrói, necessitamos nos direcionar para o que nos constrói. Endosso que escolhemos e renunciamos às batalhas que entramos. Podemos discriminar como usar nosso tempo.

Tempo "divino" que se torna sagrado quando percebemos que não há tempo a perder em se tratando de vida.

É por meio da ampliação de *awareness* e da conexão da espontaneidade e da criatividade que podemos desenvolver ações que promovam o enriquecimento do contato. Fazer diferente é a regra para lidar com comportamentos autodestrutivos, sobretudo quando lemos a frase de Artaud (2003, p. 61): "Nunca ninguém escreveu ou pintou, esculpiu, construiu ou inventou a não ser para sair do inferno". Bem-estar é conquista – ou, nas palavras de Perls, Hefferline e Goodman (1997, p. 174), é autoconquista.

A invenção é original; é o organismo que cresce, que assimila substâncias novas e se nutre de novas fontes de energia. O *self* não sabe de antemão o que inventará, porque o conhecimento é a forma do que já ocorreu; [...] Mas ao crescer o *self* se arrisca – arrisca-se com sofrimento caso tenha evitado durante muito tempo arriscar-se, e por conseguinte deve destruir muitos preconceitos, introjeções, ligação com o passado fixado, seguranças, planos e ambições; arrisca-se com excitamento se puder aceitar viver no presente.

Sabemos que para a manutenção do sistema *self* de contato é preciso o entrelaçamento do que Perls, Hefferline e Goodman (1997, p. 179) chamam de dois polos – a preservação e o crescimento: "Um organismo preserva-se somente pelo crescimento. A autopreservação e o crescimento são polos, porque é somente o que se preserva que pode crescer pela assimilação e é somente o que continuamente assimila a novidade que pode se preservar e não degenerar".

É possível reaprender a viver bem, apesar da dor emocional e, por muitas vezes, física que se contrapõe ao instinto de sobrevivência. Dor que grita e se expressa pelo ato consumado da finalização de uma existência.

Sentir que "regressamos a nós mesmos" significa retornar para o lugar onde sempre deveríamos ter estado: perto de nós e das relações que nos fazem sentir que fazemos sentido. Usufruir da morada é fazer parte contínua da construção do sagrado, do amor e da convivência mútua. Habitar na morada existencial é agradecer por tentar retornar ao lugar que sempre foi nosso. Lugar de escuderia protetora, local que provê a chama de luz e de pertencimento.

É preciso nos dar a chance de nos recepcionar em nossa casa. E, ao assumir responsabilidade tanto pela preservação quanto pelo crescimento, temos condições de compartilhar o sagrado no convívio com quem amamos. Assim, podemos assumir o lugar de guia, o qual permite abertura de pessoas que ainda despertam da sombra e, mesmo assim, podem nos ensinar algo a partir da convivência.

Sagrada é a possibilidade de nos tornarmos "pessoas melhores" que conseguem "administrar" impulsos e gerenciar situações de crise sem perder a serenidade. Conseguir administrar situações caóticas, relações conflituosas e sentimentos como medo, raiva, tristeza é descoberta misteriosa a se trilhar. Tenho certeza de que, quando caminhamos juntos, muitas "dores da alma" são apaziguadas, inclusive as minhas.

REFERÊNCIAS

AGENDA ESTRATÉGICA DE PREVENÇÃO DO SUICÍDIO. Ministério da Saúde, 2017. Disponível em: <https://www2.camara.leg.br/atividade-legislativa/comissoes/comissoes-permanentes/cssf/arquivos-de-eventos/audiencia-publica-10-10-17/apresentacao--ms>. Recuperado em: 9 set. 2019.

ARTAUD, A. *Van Gogh: o suicida da sociedade*. São Paulo: José Olympio, 2003.

CARDELLA, B. H. P. "Ajustamento criativo e hierarquia de valores ou necessidades". In: FRAZÃO, L. M.; FUKUMITSU, K. O. *Gestalt-terapia: conceitos fundamentais*. São Paulo: Summus, 2014, p. 90-103.

FERNANDES, C. "02 de novembro – Dia de Finados". *Brasil Escola*. s/d. Disponível em: <https://brasilescola.uol.com.br/datas-comemorativas/dia-de-finados.htm>. Acesso em: 2 nov. 2019.

FRAZÃO, L. M. "Sobre o livro e a autora". In: FUKUMITSU, K. O. *Suicídio e Gestalt-terapia*. São Paulo: Digital Publish e Print, 2012.

FUKUMITSU, K. O. *Perdas no desenvolvimento humano: um estudo fenomenológico*. São Paulo: Digital Publish e Print, 2012.

_____. *Suicídio e luto: histórias de filhos sobreviventes*. São Paulo: Digital Publish & Print, 2013.

_____. *A vida não é do jeito que a gente quer*. São Paulo: Digital Publish & Print, 2015.

_____. "Suicídio: do desalojamento do ser ao desertor de si mesmo". *Revista USP Direitos Humanos*, São Paulo, n. 119, out.-dez. 2018a, p. 103-14. Disponível em: <https://www.revistas.usp.br/revusp/article/view/151579/148542>. Acesso em: 9 jan. 2020.

_____. "Suicídio e a verdade levada juntamente com quem se matou". *Jornal da USP*, 4 maio 2018b. Disponível em: <https://jornal.usp.br/artigos/suicidio-e-a--verdade-levada-juntamente-com-quem-se-matou/>. Acesso em: 9 jan. 2020.

_____. *Programa RAISE: gerenciamento de crises, prevenção e posvenção do suicídio em escolas*. São Paulo: Phorte, 2019.

LEWIN, K. *Teoria de campo em ciência social*. São Paulo: Pioneira, 1965.

ORGANIZAÇÃO MUNDIAL DA SAÚDE (OMS). Departamento de Saúde Mental. *Prevenção do suicídio: um manual para profissionais da saúde em atenção primária*. Genebra: OMS, 2000. Disponível em: <https://www.who.int/mental_health/prevention/suicide/en/suicideprev_phc_port.pdf>. Acesso em: 20 set. 2019.

ORGANIZAÇÃO PAN-AMERICANA DA SAÚDE. "Folha informativa – Suicídio" [internet]. Brasília (DF): Opas, 2018. Disponível em: <https://www.paho.org/bra/index.php?option=com_content&view=article&id=5671:folha-informativa--suicidio&Itemid=839>. Acesso em: 21 set. 2019.

PERLS, F. S. *Gestalt-terapia explicada*. 7. ed. São Paulo: Summus, 1977.

_____. *Escarafunchando Fritz: dentro e fora da lata de lixo*. São Paulo: Summus, 1979.

_____. *A abordagem gestáltica e Testemunha ocular da terapia*. 2. ed. Rio de Janeiro: LTC, 1988.

PERLS, F.; HEFFERLINE, R.; GOODMAN, P. *Gestalt-terapia*. São Paulo: Summus, 1997.

POLSTER, E.; POLSTER, M. *Gestalt-terapia integrada*. São Paulo: Summus, 2001.

ROBINE, J.-M. "A Gestalt-terapia terá a ousadia de desenvolver seu paradigma pós--moderno?" *Estudos e Pesquisas em Psicologia*, Rio de Janeiro, ano 5, n. 1, 1. sem. 2005.

SOUTO, M. C. P. do. "Conflito: um novo olhar sobre um velho tema". In: *Revista de Gestalt*, v. 17, 2012, p. 33-43.

TOBIN, S. A. "Dizer adeus". In: STEVENS, J. O. *Isto é Gestalt*. São Paulo: Summus, 1977.

ZINKER, J. *Processo criativo em Gestalt-Terapia*. São Paulo: Summus, 2007.

4.
Experiências em Gestalt-terapia diante do sofrimento LGBTQI+

PAULO BARROS

Neste capítulo, apresentarei a comunalidade de alguns dos sofrimentos vivenciados por grande parte da população LGBTQI+: gays, lésbicas, bissexuais, transgêneros, *queer*, intersexuais, entre outras possibilidades de manifestações da sexualidade, representadas pelo símbolo "mais". Também farei aqui uma aproximação entre esses fenômenos e a Gestalt-terapia, abordagem com poucas publicações sobre a população LGBTQI+ no Brasil.

De acordo com o Grupo Gay da Bahia (2018), entidade que há 39 anos vem realizando registros de dados de violência contra LGBTQI+, a cada 20 horas um LGBTQI+ é morto ou comete suicídio no Brasil. Sousa e Iriart (2018) apontam que, de acordo com a Associação Nacional de Transexuais e Travestis do Brasil, a média de vida de uma pessoa trans no Brasil é de 35 anos. E, segundo Sáez e Carrascosa (2016), em oito países o sexo anal entre homens é passível de pena de morte: Sudão, Iêmen, Arábia Saudita, Emirados Árabes

Unidos, Irã, Mauritânia, Nigéria e Afeganistão; já em alguns estados americanos, a prática do sexo anal consentido entre adultos ainda constitui violação.

Outro dado que também convoca nossa atenção diz respeito à quantidade de jovens, principalmente transgêneros, que desistem e/ou são expulsos das instituições escolares e universitárias. Para Acosta (2019), seria mais adequado falar em expulsão escolar/universitária do que em evasão, visto que muitas instituições estabelecem regras que não toleram a diversidade, criando um verdadeiro processo de eliminação das pessoas consideradas diferentes – assemelhando-se, assim, ao sistema prisional, no qual os corpos estão em intenso controle.

É possível que a forma de iniciar este capítulo cause algum desconforto no leitor ou leitora, visto que esses dados demonstram uma realidade extremamente cruel que pune e aniquila sexualidades consideradas abjetas. Ou talvez eu esteja projetando parte da dor que sinto ao expor tais informações. Uma dor que semanalmente é atualizada quando me encontro com clientes, principalmente jovens adultos, que, embora não tenham recebido uma pena de morte, passaram parte da vida sendo criticados(as) e condenados(as) por não atenderem às expectativas relacionadas com a sexualidade, criadas sobretudo por seus familiares: "Por que você está usando esse cabelo curto?", "Não quero que você ande com aquele veado/machuda", "E aí, quando vai apresentar a namoradinha?", "Você deve estar possuído!", "Quem é o homem da relação?", "Virou lésbica por falta de pau", "O que eu fiz para merecer isso? Eu não te criei dessa forma!".

Essas frases foram ouvidas por alguns clientes a que atendi e algumas eu mesmo já ouvi. Nelas é possível perceber a existência do julgamento sobre a sexualidade do(a) outro(a), colocando-o(a) em um lugar de inadequação e reprovação por meio de um policiamento dos corpos. Mas, para que se caracterize um comportamento como inapropriado, é necessário que exista o seu oposto. Logo, qual seria a expressão "correta" da sexualidade? Vivemos em uma sociedade em que grupos políticos e religiosos, compostos em sua maioria por homens, instituíram a heterossexualidade como a orientação sexual adequada, limpa, pura e natural. Esta se refere a pessoas que se sentem atraídas sexual e/ou afetivamente por pessoas do gênero oposto, sendo também um pré-requisito que o detentor de tal orientação seja uma pessoa cisgênero, que de acordo com Sousa e Iriart (2018) significa "cumprir a lógica una e linear que articula sexo e gênero na determinação de uma pessoa – como pênis-masculino-homem e vagina-feminino-mulher – fadada a experienciar a heterossexualidade".

A partir do momento em que a heterossexualidade e a cisgeneridade são percebidas como a norma, as demais expressões e identidades sexuais passam a ser consideradas desviantes e anormais, o que nos permite falar na existência de uma cis-heteronormatividade. Esse movimento alimenta polaridades no que se refere a orientações sexuais: heterossexualidade/homossexualidade, heterossexualidade/bissexualidade e heterossexualidade/pansexualidade, e fortalece o binarismo de gênero, no qual as únicas possibilidades de identidades de gênero são as de homem/mulher, macho/fêmea, masculino/feminino, assunto que será abordado mais adiante.

Tal cis-heteronormatividade compulsória, que tenta normatizar as demais sexualidades, poderia ser lida como um funcionamento neurótico em Gestalt-terapia. Tal funcionamento neurótico, segundo Perls, Hefferline e Goodman (1997, p. 45), corresponde a "padrões estereotipados que limitam o processo flexível de dirigir-se criativamente ao novo". E mais: "A destruição do *status quo* pode provocar medo, interrupção e ansiedade, proporcionalmente maiores à medida que sejamos neuroticamente inflexíveis" (*ibidem*, p. 47). Assim, nossa sociedade manifesta grande dificuldade de entrar em contato com o novo (demais orientações e identidades de gênero), recorrendo a formas repetitivas de domínio sobre o outro e, em caso mais extremos, ao uso na aniquilação.

Esses comportamentos de controle e vigilância sobre o não eu remete-me ao funcionamento egotista mencionado na Gestalt-terapia, no qual, de acordo com Perls, Hefferline e Goodman (1997), são feitas tentativas de evitar surpresas e o incontrolável; ocorre uma redução da espontaneidade e o indivíduo utiliza a fixação para não lidar com a frustração. Em minha experiência clínica, percebo com certa frequência clientes LGBTQI+ tendo seus corpos controlados e vigiados principalmente por seus familiares, como nos exemplos que se seguem.

"Quero ser independente, ter meu próprio espaço e poder trazer quem eu quiser para perto de mim sem me preocupar de estar sendo vigiada ou perseguida por minha mãe. Preciso ir embora" – relatou uma cliente de 20 anos, bissexual, que já fora expulsa de casa pela mãe duas vezes. "Meus pais acham que estou passando por uma fase. Quando era mais novo me levaram ao psicólogo e ele disse que eu tinha algum transtorno, pois não era normal o que estava acontecendo comigo" – relatou um rapaz gay que, não bastando a negação de sua orientação sexual por seu pai e sua mãe, também foi vítima do discurso

Enfrentando crises e fechando *Gestalten*

preconceituoso e patologizador de um profissional desqualificado para lidar com demandas da população LGBQTI+. Essa situação reforça os estudos sobre gênero de Zanello (2018), que nos alerta sobre a necessidade de considerar os valores e ideais de gênero dos profissionais da saúde, pois os sintomas apresentados pelos pacientes serão interpretados por aqueles, não sendo o processo diagnóstico um ato neutro.

Outro atendimento que não posso deixar de citar, pois me deixou marcas profundas, foi o de um rapaz transexual de 22 anos que diariamente passava por conflitos com a família e largou os estudos por ser constantemente vítima de piadas de um professor. Seus familiares sempre o chamavam pelo nome feminino dado ao nascimento e por diversas vezes o criticavam por ele usar roupas consideradas masculinas; e uma tia afirmava que o demônio havia possuído o seu corpo. Ao buscar atendimento, sua energia estava extremamente diminuída, seu sorriso, apagado e sua voz, sem brilho. A cada dia ele desistia de falar, pois, por apresentar uma voz "feminina", esta denunciava o seu sexo biológico para as demais pessoas. Logo, calar-se transformou-se numa estratégia de sobrevivência, que a princípio foi utilizada como ajustamento criativo, mas ao longo do tempo tornou-se disfuncional, trazendo diversos prejuízos e refletindo em comportamentos retroflexivos que tanto o machucavam – como automutilação e tentativas de suicídio.

Portanto, todo esse sofrimento não se dá apenas de forma intrapsíquica (polo organismo), ou em consequência de determinada orientação sexual ou identidade de gênero, sendo compreendido em Gestalt-terapia como um fenômeno de campo, cocriado na relação organismo/ambiente (Francesetti,

2018). Como afirmam Perls, Hefferline e Goodman (1997, p. 46), "não tem sentido, por conseguinte, tentar lidar com qualquer comportamento psicológico fora de seu contexto sociocultural, biológico e físico", sendo necessário voltarmo-nos para a fronteira de contato que separa e aproxima eu e não eu, onde ocorre a experiência. Sobre isso, Peixoto (2018, p. 218) diz o seguinte:

> Mesmo que sintamos um afeto triste, este afeto advém do fato de que somos afetados por uma situação. Este afeto é um fenômeno de campo. Este afeto é, conforme Spinoza, uma afecção, compreendida como um efeito de composição com o mundo. Nesta esfera, o que vemos são sempre fenômenos nascidos dos processos de composições contatuais do campo organismo-ambiente. Os "sintomas", enquanto fenômenos de campo, enquanto afecções-efeitos das composições contatuais, expressam graus de vitalidade ou a desvitalização do campo organismo-ambiente.

Ou seja, dessa perspectiva, deixamos de olhar para o sofrimento vivenciado por pessoas LGBTQI+ como uma manifestação da vida interior de um indivíduo e passamos a olhar para campos de sofrimento e de afetação nos quais diferentes formas emergem, permitindo-nos averiguar as formas de contatar na fronteira organismo/ambiente.

Todavia, para que possamos alargar nossa compreensão sobre a relação organismo/ambiente no que diz respeito ao campo da sexualidade, mais especificamente às sexualidades consideradas marginais, neste momento darei especial atenção ao polo ambiente, pois este é repleto de valores, crenças e regras que são lançados sobre todos nós desde o momento em que somos gerados, exercendo grande influência, principalmente no período da infância, e deixando marcas no nosso corpo.

POLO AMBIENTE: HISTÓRIA E SOCIEDADE NO SOFRIMENTO LGBTQI+

Para tanto, recorri a alguns teóricos e teóricas *queer* (Butler, 2012; Sáez e Carrascosa, 2016; Louro, 2018; Preciado, 2014) que apresentam estudos diversos sobre sexualidade. Mas, antes, o que significa *queer*? De acordo com Louro (2018), o termo pode ser traduzido como estranho, ridículo ou excêntrico, sendo direcionado de forma pejorativa contra gays e lésbicas. Porém, uma vertente dos movimentos homossexuais assume tal termo como forma de contestação e de oposição, o que faz *queer* ser compreendido como uma forma de colocar-se contra a normalização, criticando principalmente a heteronormatividade compulsória de nossa sociedade e a estabilidade de propostas políticas identitárias do movimento homossexual dominante. Ainda para esta autora: "*Queer* representa claramente a diferença que não quer ser assimilada ou tolerada e, portanto, sua forma de ação é muito mais transgressiva e perturbadora" (*ibidem*, p. 36).

Talvez para surpresa de alguns e algumas Gestalt-terapeutas, temos um autor que faz parte da origem de nossa abordagem e se percebia como *queer*. Paul Goodman (2012, p. 33) relata:

> Já fui despedido três vezes por causa do meu comportamento *queer* ou por reivindicar meu direito a ele, foram as únicas vezes em que fui despedido. Fui mandado embora da Universidade de

Chicago nos primeiros anos de Robert Hutchins; da Escola Manumit, afiliada ao Brookwood Labor College, de A. J. Mustle; e do Black Mountain College. Essas eram instituições altamente liberais e progressistas e duas delas se orgulhavam de se considerarem uma comunidade – francamente, minha experiência com comunidades radicais é que elas não toleram minha liberdade.

Ou seja, um de nossos mais importantes teóricos da Gestalt-terapia também passou por situações de preconceito e cerceamento por apresentar uma sexualidade considerada bizarra para a época. Mas, mesmo em um período de tanta repressão sexual comparada com os dias de hoje, ele foi capaz de ajustar-se criativamente e lutar por seu direito de ser quem era – algo muito presente em nossa abordagem, mas que por vezes parece ser esquecido ou negligenciado por alguns e algumas Gestalt-terapeutas quando se trata de intervenções no campo da sexualidade, assumindo condutas que alimentam sofrimento e opressão.

Ainda sobre a história da sexualidade ocidental, até o século XVII a religião exerceu forte controle sobre essa esfera da vida humana. Nesse período não existiam palavras como "homossexualidade" e "transexualidade", sendo a primeira criada no século XIX e a segunda, apenas no século XX. O termo utilizado para homens que se relacionavam com homens era "sodomita", fabricado com base na história bíblica de Sodoma e Gomorra, que tem sido interpretada de forma errônea (esse erro não foi acidental, mas neste momento não será possível aprofundar esse ponto). Naquela época, não se percebia a existência de uma identidade sodomita, e sim comportamentos que poderiam ser corrigidos por intermédio de penalidades leves (confissão, por exemplo) ou eliminados pela pena de morte (Spargo, 2017).

Entretanto, a partir do século XIX, período em que a medicina ganha poder e destaque, faz-se necessário classificar/ nomear cientificamente os sujeitos que apresentavam comportamentos sodomitas. Surge então o termo "homossexual" para definir e identificar pessoas que apresentavam desejo sexual por pessoas do mesmo gênero. Desde lá até a atualidade, várias foram as ciências que tentaram explicar a etiologia do ser homossexual – biologia, psiquiatria, psicologia, sociologia e antropologia, entre outras. Até hoje, para todos os estudos que tentam buscar uma explicação fisiológica ou psicológica, sempre há uma exceção, e o mesmo acontece com as identidades transexuais e intersexuais (Trevisan, 2018).

Contudo, que impacto a criação da palavra "homossexual" teve para o campo da sexualidade e das relações? De acordo com Spargo (2017), no momento em que surge o homossexual, surge também o heterossexual. Logo, a classificação das pessoas consideradas abjetas em uma categoria cria um grupo de indivíduos considerados normais, ajustados e naturais. Preciado (2014) confirma tal argumento ao dizer que a identidade homossexual continua sendo percebida por muitos como antinatural diante da identidade heterossexual. Para ele, esse acidente "contranatural" foi criado pela primeira vez por instituições médico-legais em 1868, que opuseram perversão à normalidade heterossexual – algo importante para esse grupo, visto que a rejeição da homossexualidade fortalece a identidade cis-heteronormativa. O mesmo aconteceu em relação à criação das demais identidades (transexuais e intersexuais), em que a patologização destas se fez e ainda se faz necessária para reforçar a ideia de saúde/normalidade da orientação heterossexual e do binarismo de gênero, fortalecendo-se os valores e ideais sobre ser homem e mulher. Em vista disso, recorrerei novamente a Zanello (2018), quando esta afirma que há convicções que predominam, em nossa sociedade, sobre como homens e mulheres devem se portar. De acordo com Kehl (*apud* Zanello, 2018), tais crenças foram construídas ao longo da história, tendo papel importante o momento de consolidação do capitalismo, em que houve uma transformação social na qual algumas mulheres foram colocadas em famílias nucleares e no lar burguês, lugar esse em que elas se casam não com o homem, mas com o seu lar. É nesse tempo e espaço que ideais de submissão e domesticidade feminina emergem, ao lado da autonomia e da liberdade masculinas. A mulher será destinada ao casamento e à maternidade, enquanto o homem terá autonomia para escrever seu destino de acordo com sua vontade.

Atualmente, tais ideais ainda são reproduzidos em nossa sociedade por muitos homens e mulheres, o que nos faz perceber a forte influência do "determinismo" biológico. Mulheres, segundo essa ótica determinista, comportar-se-iam exclusivamente por terem uma vagina, ao passo que homens, de outra por terem um pênis. Essa seria a "natureza" de cada um e cada uma, não podendo haver contestações. Mulher "de verdade" deve ser dócil, calma, acolhedora, amorosa, materna, feminina e heterossexual. Homem "de verdade" deve ser provedor, poderoso, autônomo, forte, agressivo e heterossexual, devendo manter-se sempre com o "cu fechado", não podendo em hipótese nenhuma ser penetrado. Isso o transformaria em mulherzinha, veadinho, bichinha, assumindo o

Enfrentando crises e fechando *Gestalten*

lugar de passividade, sendo todas essas características percebidas como pejorativas e inferiores (Zanello, 2018).

Para Butler (2012), a identidade de gênero não deve ser compreendida como algo estático, sendo construída debilmente no tempo e fundada por uma repetição estilizada de atos, tornando-se cristalizada por meio de *scripts* culturais que estabelecem formas de pensar, agir, sentir e locomover, obrigando homens e mulheres a se conformar com uma ideia histórica na qual a heterossexualidade se faz dominante. Preciado (2014, p. 26) corrobora as ideias de Butler ao afirmar que "o corpo é um texto socialmente construído, um arquivo orgânico da história da humanidade como história da produção-reprodução sexual, na qual certos códigos se naturalizam, outros ficam elípticos e outros são sistematicamente eliminados ou riscados". Logo, ampliar nossos conhecimentos sobre questões históricas, sociais e culturais torna-se fundamental, pois, como afirma Louro (2019, p. 12),

> admitamos que a sexualidade envolve rituais, linguagens, fantasias, representações, símbolos, convenções... Processos profundamente culturais e plurais. Nessa perspectiva, nada há de exclusivamente "natural" nesse terreno, a começar pela própria concepção de corpo, ou mesmo de natureza. Através de processos culturais definimos o que é – ou não – natural; produzimos e transformamos a natureza e a biologia e, consequentemente, as tornamos históricas. Os corpos ganham sentido socialmente.

Outro ponto importante de ser levantado diz respeito às questões raciais, pois em nossa cultura prevalece o ideal de beleza da mulher branca e do homem branco, extremamente influenciado por um padrão europeu, construído ao longo de séculos de história. Constato esta realidade em muitos de meus atendimentos, mesmo morando no extremo Norte do Brasil, região composta por uma grande maioria de nordestinos e indígenas e que atualmente apresenta uma enorme quantidade de venezuelanos que chegam de diferentes partes da Venezuela.

Em minha experiência clínica, com bastante frequência testemunhei relatos de clientes negras que em algum momento da vida queriam ser brancas e ter o cabelo liso (introjetos difundidos na sociedade), apresentando pensamentos e comportamentos racistas em relação a si e ao outro. Talvez você esteja se perguntando por que estou tocando em tais questões. Bem, todos esses pontos levantados também interferem nas vivências de pessoas LGBQTI+, uma vez que elas fazem parte da composição desse contexto.

Portanto, quanto mais nos distanciarmos daqueles ideais de homem e mulher, mais à margem seremos colocados. "Como assim uma mulher portando-se de forma masculina?"; "Acho tão bonito o fato de você ser gay e continuar parecendo um homem"; "Você ao menos é o que come?"; "Não vem me dizer que você dá a bunda!"; "Bissexual? Isso é coisa de gente confusa, safada"; "Nasceu homem e quer ser mulher? Isso não existe. Deve ter alguma doença muito grave"; "Mulher trans? Isso é um traveco sem-vergonha"; "Então quer dizer que se eu quiser ser uma planta está tudo bem?"; "Eu não tenho problema com ninguém, só não acho que precisa ficar se expondo, eu tenho filhos, o que eles vão pensar?"; "Não bastasse ser gay, ainda é preto".

Escrever todas essas frases não é tarefa fácil, porém preciso continuar a atender ao chamado do campo e compartilhar as diferentes formas de opressão que se manifestam na vida de muitos e muitas LGBTQI+. Mas de que forma nós, Gestalt--terapeutas, podemos contribuir para ampliar as discussões sobre tal temática? Schillings (2011) recorre a Perls, Hefferline e Goodman no livro *Gestalt therapy* (1951), destacando o uso que estes fazem da palavra *misery* para descrever uma forma de interrupção da função personalidade do *self* que dificulta o fechamento do fundo de vivências de uma pessoa no campo, impedindo o significado legítimo das experiências. Essa autora aborda o termo *misery* como situações de violências físicas e psicológicas que ocorrem na relação organismo/ ambiente, caracterizando relações de opressão. Schillings (2011, p. 46) afirma:

> A violência é um desrespeito à condição humana, pois retira da pessoa sua identificação com o que lhe é próprio, seus significados, subordinando-os a um tratamento que tem por finalidade estabelecer uma fragilização, resultando em dependência e rendição. Isto torna o "violentador" o legítimo proprietário da existência de quem é violentando, ficando-lhe subordinado. É uma privação do horizonte de sentido – sentido compreendido como aquilo que atribui coerência, orientação e direção existencial.

Assim, todos os movimentos citados ao longo deste texto nos quais há uma tentativa de controlar o pensar, o sentir e o agir de corpos intersexuais, loucas, caminhoneiras, bibas, pocs, sapas, veados e travas podem ser considerados formas de opressão, interferindo em nossos fundos de vividos e nos significados que estamos diariamente construindo sobre nós e sobre o outro. Tudo isso acarreta um esquecimento e desconhecimento de si, produzindo ajustamentos neuróticos ou psicóticos como forma de lidar com a realidade que se apresenta.

A vergonha é um dos sentimentos presentes na vida de muitos e muitas LGBTQI+, sendo introjetada desde cedo nesses campos de opressão. Todavia, vale ressaltar que a vergonha pode ser vivenciada de forma saudável ou não, pois tudo dependerá da forma como ela emergirá nos processos de contatar na fronteira de contato. Em casos extremos, como afirma Leone (2011), a vergonha poderá enfraquecer os vínculos.

GESTALT-TERAPIA E SOFRIMENTO LGBTQI+

Para Yontef (1998, p. 368), o sentimento de vergonha implica avaliações negativas "de si próprio, para o que se é, como se é, e para com o que se faz". Por ser um sentimento nebuloso, é possível que o(a) cliente não tenha *awareness* de suas manobras automáticas para evitar possíveis exposições de si ao outro. Nem sempre o vocabulário é suficiente para expressar tal sentimento. Ainda de acordo com Yontef (1998, p. 369): "As *Gestalten* baseadas na vergonha são largamente experienciadas no pré-contato, ocorrendo interrupções em fases posteriores do ciclo figura/fundo".

Por vezes senti a presença, no campo, do que parecia ser vergonha em alguns dos atendimentos com a população LGBTQI+, de forma mais intensa com alguns clientes e de forma mais amena com outros. O receio do julgamento de vivências, condenação ou crítica a sentimentos e desejos foi projetado em mim por inúmeras vezes, acompanhado de sensações de frio na barriga, aperto do peito e nó na garganta (função Id). Algo totalmente compreensível por terem vivenciado relações

Enfrentando crises e fechando *Gestalten*

em que a vergonha de ser quem se é esteve presente por tanto tempo, o que os levou a desenvolver ajustamentos criativos ou disfuncionais.

Outra situação interessante diz respeito a alguns homens bissexuais a que tive a oportunidade de atender, que sentiam vergonha de externar sua orientação por terem vivido situações de preconceito tanto com heterossexuais quanto com homossexuais; ambos duvidavam de sua orientação sexual, como se a bissexualidade fosse uma farsa, sendo a verdadeira orientação a homossexual. Confesso ter pensado da mesma forma em alguns momentos da minha vida, tendo percebido meus próprios introjetos (preconceitos) diante de pessoas que conseguem se relacionar com ambos os gêneros. Realizei, assim, um movimento de enrijecimento das fronteiras de contato com o outro que buscava meu auxílio. Daí a importância de que estejamos conscientes para não assumir o lugar de opressor no contexto de terapia, como Schillings (2011) alerta.

Logo, esses sentimentos e sensações são vividos por meio de uma colonização da carne (Silva, 2018) em que o outro invade e habita, sendo o senhor ou senhora da nossa vida. Todo esse controle em relação à população LGBTQI+ poderá acarretar um ajustamento neurótico que, de acordo com Alvim (2016), caracteriza-se pela interrupção do fluxo e pela formação de figuras, uma vez que o excitamento poderá ser bloqueado, fazendo que as necessidades permaneçam no fundo. Ocorre, assim, um impedimento do fluxo de *awareness*. Ainda de acordo com Alvim (2016, p. 41),

nas situações de conflito, o fundo encontra-se perturbado; o que está em jogo são as premissas da ação, ou seja, necessidades, imagens de si, valores, expectativas sociais, moral introjetada etc. que não tem harmonia entre sim, gerando movimentos hesitantes, que vão e vêm – sem vigor, elegância, nem plasticidade. As figuras que emergem nessas situações são fracas, débeis e inexpressivas, não correspondendo a necessidade dominante no fundo.

Aí está a importância do domínio dos corpos por determinados grupos religiosos, políticos e científicos que tentam a dessensibilização e a automatização dos indivíduos por meio de situações de violência e opressão. Tais movimentos podem resultar em processos de alienação, que, de acordo com Perls, Hefferline e Goodman (1997), são construídos quando o sujeito realiza identificações falsas, subjugando sua espontaneidade e passando a existir de forma confusa e dolorosa. Mas, como afirma Foucault (1980), em toda relação de poder nasce também a resistência. Foi nesse campo de desigualdade e intolerância que muitos movimentos de gays, lésbicas, transexuais, travestis e intersexuais emergiram como resistência. Assim, pergunto: de que forma, nós, Gestalt-terapeutas, temos nos posicionado diante das situações de violência e opressão? Nossa atuação alimenta campos de sofrimento ou campos de transformação? De que forma temos conduzido nossos atendimentos com pessoas que durante séculos foram e ainda são tratadas como aberrações por não serem heterossexuais ou cisgênero?

Somente sendo corpo com o outro é que poderemos auxiliar nossos clientes em seu processo de restabelecimento do fluxo de *awareness*, por meio de um campo de presença e experimentação. Ao convidá-los ao resgate da experiência sensível, do sentir, possibilitaremos uma abertura à experiência da fronteira de contato dada na situação (Alvim, 2016). Logo, a Gestalt-terapia, de acordo com Perls, Hefferline e Goodman (1997), possibilitará ao cliente perceber identificações e alienações, reconhecendo o que ele está pensando, percebendo, fazendo e sentindo; ele terá, dessa forma, maior controle de sua vida.

Atualmente, tenho a oportunidade de ser supervisionado pela Gestalt-terapeuta Selma Ciornai; entre os vários aprendizados e trocas, neste momento emergem como figura as situações em que ela me estimula a ir além das paredes da clínica, acompanhando meus e minhas clientes em situações nas quais os campos de opressão são mais intensos, dificultando que eles e elas possam ir e pegar o que necessitam no ambiente. Percebo-me sendo corpo para além do consultório, auxiliando-os(as) num processo lento e gradual de descolonização dos corpos, cocriando experiências que deem suporte ao presente transiente que deságua em um horizonte de possibilidades. Sinto inclusive em minha carne a transformação que emerge a partir destes encontros.

Por isso, ofertar atendimento psicológico em Gestalt-terapia para a população LGBTQI+ implica ampliarmos nossos conhecimentos sobre questões históricas, sociais e culturais, sendo necessário olharmos para nossa sexualidade. Esta se faz presente com a sexualidade do outro e, juntos, criamos campos de transformação e crescimento. Até que ponto tais questões são debatidas nas formações e especializações em Gestalt-terapia? De acordo com Nascimento (2019, p. 99),

> quanto aos conteúdos ensinados na formação e às questões econômicas, é importante – ainda que áspero e dolorido – assumirmos

que a formação em Gestalt-terapia no Brasil ainda é elitista e distanciada da realidade social vivenciada no país. As discussões teóricas parecem ainda voltadas para uma prática individualizada, em consultório privado, para as classes média e alta, se afastando de questões como as temáticas de gênero, raça, classe e sexualidades.

Para finalizar, destaco o papel fundamental da aceitação do terapeuta em relação ao cliente LGBTQI+, pois, como afirma Jacobs (1997, p. 75), "na relação terapêutica a aceitação do terapeuta parece abrir as possibilidades de autoaceitação do cliente e isso lhe permite aprofundar sua própria *awareness*". E não nos esqueçamos das palavras de Yontef (1998, p. 147): "Teoricamente e na boa prática, a Gestalt-terapia tem um respeito intrínseco pela diversidade e pelas diferenças. Este é um dos fundamentos da atitude gestáltica".

REFERÊNCIAS

Acosta, T. "Evasão ou expulsão escolar de gays afeminados e travestis das instituições de ensino e as vidas que não podem ser vividas". *Bagoas – Estudos gays: gêneros e sexualidades*, v. 13, n. 20, 2019, p. 65-94.

Alvim, M. B. "O lugar do corpo e da corporeidade em Gestalt-terapia". In: Frazão, L. M; Fukumitsu, K. O. (orgs.). *Modalidades de intervenção clínica em Gestalt-terapia*. São Paulo: Summus, 2016.

Butler, J. P. *Problemas de gênero: feminismo e subversão da identidade*. Rio de Janeiro: Civilização Brasileira, 2012.

Foucault, M. *História da sexualidade I: a vontade do saber*. Rio de Janeiro: Graal, 1980.

Francesetti, G. "'Você chora, eu sinto dor'. O self emergente, cocriado, como o fundamento da antropologia, psicopatologia e psicoterapia na Gestalt-terapia". In: Robine, J.-M. *Self: uma polifonia de Gestalt-terapeutas contemporâneos*. São Paulo: Escuta, 2018.

Goodman, P. "Ser *queer*". *Bagoas – Estudos gays: gênero e sexualidades*, v. 6, n. 7, 2012, p. 31-42.

Grupo Gay da Bahia. *Mortes violentas de LGBT+ no Brasil: relatório 2018*. Disponível em: <https://grupogaydabahia.files.wordpress.com/2019/01/relatório-de-crimes-contra-lgbt-brasil-2018-grupo-gay-da-bahia.pdf>. Acesso em: 10 nov. 2019.

Enfrentando crises e fechando *Gestalten*

JACOBS, L. *O diálogo na teoria e na Gestalt-terapia*. In: HYCNER, R.; JACOBS, L. *Relação e cura em Gestalt-terapia*. São Paulo: Summus, 1997.

LEONE, G. "Homossexualidade, vergonha e risco". *Sampa GT: Revista de Psicologia do Instituto Gestalt de São Paulo*, n. 6, São Paulo, 2010/2011, p. 36-39.

LOURO, G. L. *Um corpo estranho: ensaios sobre sexualidade e teoria queer*. Belo Horizonte: Autêntica, 2018.

_____. *O corpo educado: pedagogias da sexualidade*. Belo Horizonte: Autêntica, 2019.

NASCIMENTO, L. C. S. *Gestalt-terapeutas do Brasil: formação e identidade*. Tese (doutorado em Psicologia Clínica e Cultura), Universidade de Brasília, Brasília (DF), 2019.

PEIXOTO, P. T. *Gestalt-terapia & contatologia: filosofia, arte e clínica dos processos de formação das superfícies contatuais*. Macaé: Paulo de Tarso, 2018.

PERLS, F.; HEFFERLINE, R.; GOODMAN, P. *Gestalt-terapia*. São Paulo: Summus, 1997.

PRECIADO, B. *Manifesto contrassexual*. São Paulo: n-1 Edições, 2014.

SÁEZ, C.; CARRASCOSA, S. *Pelo cu: políticas anais*. Belo Horizonte: Letramento, 2016.

SCHILLINGS, A. "A violência no contexto intrafamiliar e social: um olhar da Gestalt-terapia às vivências opressivas". *Sampa GT: Revista de Psicologia do Instituto Gestalt de São Paulo*, São Paulo, n. 6, 2010/2011, p. 45-51.

SILVA, F. F. *[Trans]existência: errância no corpo, gênero em trânsito*. Dissertação (mestrado em Psicologia), Universidade Federal do Rio de Janeiro, Rio de Janeiro (RJ), 2018.

SOUSA, D; IRIART, J. "Viver dignamente: necessidades e demandas de saúde de homens trans em Salvador, Bahia, Brasil". *Cadernos de Saúde Pública*, Rio de Janeiro, v. 34, n. 10, 2018, p. 1-11.

SPARGO, T. *Foucault e teoria queer: seguido de Ágape e êxtase: orientações pós-seculares*. Belo Horizonte: Autêntica, 2017.

TREVISAN, J. S. *Devassos no paraíso: a homossexualidade no Brasil, da Colônia à atualidade*. Rio de Janeiro: Record, 2018.

YONTEF, G. M. *Processo, diálogo e awareness*. São Paulo: Summus, 1998.

ZANELLO, V. *Saúde mental, gênero e dispositivos: cultura e processos de subjetivação*. Curitiba: Appris, 2018.

5.
Ética e sofrimento humano

LILIAN MEYER FRAZÃO

Faz cerca de 20 anos que me preocupo com a questão da ética em algumas de suas inúmeras dimensões. Neste capítulo, pretendo retomar parte dessas reflexões, focalizando algumas das razões que promovem sofrimento humano na atualidade e como as vejo relacionadas à questão da ética. Se considerarmos a definição da Organização Mundial de Saúde, que postula que a saúde é um estado de completo bem--estar físico, mental e social, e não simplesmente a ausência de doenças ou enfermidades, temos de questionar a situação atual de bem-estar nessas dimensões – ainda que, diante de nossa visão holística de ser humano, não possamos separá-las e precisemos reconhecer que uma implica e afeta as outras. Assim, a dimensão física afeta a dimensão mental e social, a dimensão mental afeta a dimensão física e social e a dimensão social afeta a dimensão física e mental. Embora essas esferas sejam indissociáveis, neste estudo desejo abordar alguns aspectos da dimensão social que afetam particularmente a dimensão mental, incidindo sobre o campo da ética, promovendo fraturas em nosso convívio social e acarretando aquilo que denomino ética do sofrimento humano.

Em nossa abordagem, sempre concebemos o homem em interação com seu meio, aquilo que Perls, Hefferline e Goodman, os pais da Gestalt-terapia e autores do primeiro livro sobre essa abordagem psicoterapêutica, publicado em 1951, chamaram de organismo/meio.

O homem é sempre pensado e compreendido na relação com seu ambiente. Vivemos num mundo compartilhado e nele nos constituímos como seres humanos.

Além disso, nossa compreensão de crescimento é a de que se trata de um processo contínuo ao longo da vida, não se restringindo apenas a fases de crescimento tais como infância, pré-adolescência, adolescência etc. O desenvolvimento é concebido como um processo contínuo ao longo da vida, o qual implica identificarmos e atendermos nossas necessidades na relação organismo/meio. Para tanto, é necessário dar-se conta – ter *awareness* – de nossas necessidades e buscar satisfazê-las na relação com o meio.

Entendo que *awareness* implica a percepção do universo fenomênico no momento presente, o que abarca a dimensão corporal, mental e emocional. Implica perceber o campo por meio de recursos perceptivos e emocionais, embora em determinado momento alguma coisa possa se tornar mais proeminente.

Uma vez que tenhamos *awareness* de nossas necessidades podemos buscar sua satisfação na relação com o meio, utilizando aquilo que denominamos ajustamento criativo: capacidade de satisfazer as necessidades de acordo com nossa

Enfrentando crises e fechando *Gestalten*

hierarquia de dominâncias (ou de valores) e com as possibilidades disponíveis no campo organismo/meio, visando à autorregulação organísmica (estado de equilíbrio). Quando mais de uma necessidade está presente, é necessário priorizá-las por meio daquilo que Perls, Hefferline e Goodman (1951) denominaram hierarquia de valores ou dominâncias, atendendo à necessidade dominante primeiro.

Na atualidade, a relação organismo/meio encontra-se bastante desfavorável ao processo de crescimento. Atravessamos uma época de muito sofrimento, o que dificulta os processos de constituição de nossa humanidade. Não estou aqui me referindo a sofrimento físico, e sim ao emocional, o qual, por sua vez, pode inclusive propiciar sofrimento físico, como é o caso de pessoas que se automutilam – na maior parte das vezes para se desfazer de um sentimento angustiante de sofrimento. Às vezes, a automutilação pode levar até ao suicídio, fenômeno que nos dias de hoje vem aumentando quantitativamente de forma assustadora e preocupante. Setembro é o mês da prevenção ao suicídio, que, segundo dados divulgados pela Organização Mundial de Saúde em 2019, é a segunda causa de morte de jovens entre 15 e 29 anos. A cada 40 segundos ocorre um caso de suicídio no mundo. Esses jovens não têm, no mundo contemporâneo, fé e esperança num futuro. São jovens que, de acordo com Karina Okajima Fukumitsu, não se sentem existencialmente acolhidos em seu sofrimento. Esse número grande de jovens suicidas tem crescido de forma exponencial e assustadora, em todo mundo e no Brasil.

Outra situação que sinaliza o desamparo e o desespero de uma parte significativa da população brasileira tem relação com a dificuldade de inserção no mercado de trabalho, o que gera não apenas desesperança, mas principalmente ameaça à sobrevivência de si e de seus familiares. Em meados de 2019, a taxa de desemprego no Brasil era de 12,5% da população, atingindo 13,2 milhões de brasileiros. Muitas dessas pessoas viam-se obrigadas a aceitar subempregos ou a tentar algum tipo de empreendimento autônomo que lhes garanta recursos materiais mínimos para sua sobrevivência. Em setembro de 2019, havia 28 milhões de pessoas subempregadas.

De acordo com notícia veiculada no Jornal das 10 (Globonews) em 23 de setembro de 2019, um em cada três brasileiros sofre de ansiedade e/ou estresse, em sua maioria devido a dificuldades financeiras.

Temos também um aumento significativo no número de moradores de rua, população socialmente excluída que vive em condições de vida extremamente precárias – eu diria sub-humanas –, sobretudo nos grandes centros urbanos.

Além dessas situações, e de muitas outras, vivemos também uma era política de *fake news*, nepotismo, corrupção, corte e desvio de verbas, tentativas de cercear a liberdade de expressão e autoritarismo. Nossos políticos, que deveriam primar pela defesa dos direitos da população, interessam-se apenas pela defesa de direitos pessoais e dos interesses dos grandes empresários. Essa situação política gera na população um grau significativo de impotência e desamparo.

Os grandes cortes nas verbas destinadas à educação e à pesquisa são altamente ameaçadores para o desenvolvimento social e científico de nosso país, uma vez que sem educação e pesquisa não se constrói uma sociedade melhor.

Estamos diante de situações preocupantes e ameaçadoras para aquilo que considero essencial ao nosso desenvolvimento e crescimento: nossa humanidade na relação que temos com nosso meio – o que envolve inclusive, mas não exclusivamente, a relação com um outro. Nós nos humanizamos *na* e *através* da relação com um outro, num ambiente que ofereça um mínimo de tranquilidade e segurança.

Se em Gestalt-terapia consideramos que a satisfação de necessidades, necessárias a um funcionamento saudável, ocorre nos processos interacionais com o ambiente, é de se pensar que, num ambiente tão inóspito ao humano quanto o descrito, satisfazer nossas necessidades torna-se tarefa árdua, quando não impossível. Talvez em algumas classes sociais seja possível satisfazer as necessidade materiais, porém estas estão muito distantes das necessidades humanas fundamentais para nosso viver, tais como contato, relação, afeto, pertencimento, confirmação etc.

Vivemos uma fratura no *ethos* humano, que não oferece as condições necessárias ao acontecer humano.

Para que possa ocorrer o desenvolvimento humano ao qual me referi no início, é preciso que tenhamos um mínimo de condições, materiais e emocionais, e que possamos ser o que somos sem ter de atender às altas expetativas da sociedade contemporânea, sem precisar estar constantemente em estado de alerta para não sermos vítimas de agressões e violência, sem ter de temer por nossa sobrevivência física e emocional.

Vivemos uma época de relações humanas precárias. As condições para nosso existir estão muito fragilizadas, e assim vemos ameaçadas as possibilidades de atender às nossas necessidades na relação organismo/meio, o que dificulta, quando não impossibilita, os ajustamentos criativos.

O ser humano atravessa uma época de muito sofrimento e dificuldade de se constituir plenamente em sua humanidade. Somos estimulados a trabalhar e/ou estudar muito para ser bem-sucedidos financeiramente (o que leva, em algumas situações, a estados de *burnout*), para ter sucesso no âmbito pessoal e profissional, para ser socialmente reconhecidos e fisicamente bonitos e musculosos (chegando a desenvolver um quadro de vigorexia), para nos subjugar a uma política corrupta, autoritária e desonesta. Nosso tempo é ocupado quase sempre pelo ato de fazer coisas: cursos disso e daquilo, responder a mensagens em várias redes sociais, participar de diversos grupos virtuais, frequentar academias. Não conversamos nem nos relacionamos com as pessoas; relação e comunicação estão em grande parte restritas ao universo das redes. Lutamos bravamente contra a solidão sem entrar em contato com o fato de que o que vivemos na atualidade é uma profunda solidão, uma solidão acompanhada. Cada vez é mais escasso o relacionamento humano real e presencial.

Não à toa Zygmunt Bauman (2009) deu o título de *Amor líquido* a uma de suas obras, na qual ele aborda a fragilidade das relações humanas e dos vínculos na contemporaneidade.

Vivemos também uma época em que somos vítimas de vários tipos de violência, como furtos, assaltos, agressões. Sentimo-nos impotentes e falta-nos um mínimo de segurança para que possamos conviver com tranquilidade com as pessoas em espaços públicos, andar nas ruas, sair com nossos amigos e familiares.

Observamos um aumento significativo da criminalidade e do uso arbitrário da força policial, que em lugar de nos dar segurança causa-nos medo. Testemunhamos agressões absurdas, como o episódio envolvendo uma professora de escola da rede pública em São Paulo que foi brutalmente agredida por seus alunos em sala de aula. A escola, que se dedica ao ensino e à educação, deixou de ser um ambiente de tranquilidade e segurança tanto para professores quanto para alunos.

Assim, vivemos numa conjuntura que Perls, Hefferline e Goodman (1951, p. 333) denominaram "instituições sociais antipessoais". Já nos anos 1950, Goodman chamou nossa atenção para o fato de que a cura em psicoterapia não pode ocorrer isolada da cultura, dizendo ainda que a própria cultura necessitava de cura (Taylor, 1994).

Todas as questões mencionadas são complexas e envolvem diferentes fatores sociais, políticos e econômicos. No entanto, alguns aspectos me parecem pertinentes ao âmbito da saúde mental.

Além de todo esse panorama com o qual precisamos lidar na relação organismo/meio, não temos a oportunidade de experienciar aquilo que Perls, Hefferline e Goodman chamaram de *vazio fértil*, aquela possibilidade de estar com o indiferenciado, aberto às possibilidades, esvaziado de ideias e pensamentos e deixando-se tomar pelo aqui e agora, permitindo que algo surja espontaneamente, naturalmente. O vazio fértil leva à abertura às possibilidades – aquilo que Jorge Ponciano Ribeiro (1985, p. 128) chama de momento de "entrega a si mesmo como única resposta possível".

A dificuldade de nos permitirmos estar no vazio fértil também não enseja o estado de solitude, o qual, diferentemente do sofrimento que sentimos na solidão em virtude da ausência de outras pessoas, é um estado que não implica sofrimento; é um estado de paz em que estamos plenos e satisfeitos acompanhados de nós mesmos.

Embora no mundo moderno tenhamos inúmeros recursos para nos comunicar rapidamente com outros, mesmo quando eles estão muito longe, o relacionamento entre pessoas é cada vez mais fragmentado e difícil. A precariedade e o sofrimento natural de nosso existir acabam potencializados pela solidão e pelas ameaças do mundo moderno. Trata-se de um sofrimento que é *do* campo e *no* campo.

Recentemente recebi por WhatsApp uma mensagem que dizia: "O celular aproxima as pessoas que estão distantes e afasta aquelas que estão próximas".

Este meio inóspito ao qual me referi até aqui, a ausência de relacionamentos presenciais e a quase impossibilidade de vivenciar a solitude fazem que não possamos usufruir integralmente de nossa humanidade. Precisamos do humano para nos humanizarmos. É no encontro com o outro que dou conta da minha humanidade e sou capaz de desenvolvê-la.

Safra (*apud* Genaro Junior, 2011, p. 31) se refere

[...] a uma nova modalidade psicopatológica – os espectrais, pessoas cujo sofrimento é de viverem como sombras, fantasmas, não se sentindo como participantes e pertencentes ao mundo humano, pessoas que estão impedidas da própria possibilidade de ser.

A Gestalt-terapia vem falando nos últimos anos da relação dialógica, transpondo as ideias da filosofia do diálogo de Martin Buber para o âmbito da psicoterapia.

Segundo Buber, a relação pode assumir duas formas: a relação Eu-Tu e a relação Eu-Isso. Enquanto a relação Eu-Tu se dá entre pessoas em sua totalidade, a relação Eu-Isso se dá de forma parcial. Embora ocorra certa alternância entre essas duas formas de relação, no mundo contemporâneo há uma forte tendência, para não dizer prevalência, da relação Eu- -Isso. Não somos vistos em nossa totalidade, mas apenas parcialmente; não somos tratados como pessoas, mas como coisas. Quando, por exemplo, ligamos para um serviço de atendimento ao cliente, segue-se um protocolo e é impossível fugir a ele. Independentemente de qual seja sua questão, sua necessidade ou sua urgência, o protocolo é soberano. Cada vez que ligo tenho a sensação de ser atendida por um robô e de ser tratada como tal.

Nas palavras de José Paulo Giovanetti, proferidas no II Congresso Mineiro de Gestalt-terapia (2019), experimentamos uma era de eclipse da alteridade na qual o outro não desaparece, mas torna-se um objeto, o que implica o esvaziamento das relações interpessoais.

Para que eu possa ser um Tu, é preciso que o outro se deixe afetar por mim, que possa responder a mim como um ser único e diferente de si mesmo; como um ser dotado de afetos e humanidade; como um ser em sua totalidade. Nessa condição é possível estabelecer um diálogo verdadeiro e eu posso me dar a conhecer e conhecer o outro.

Segundo Miller (comunicação oral), Levinas acredita que o olhar do outro é fundante. Preciso ser visto, reconhecido e confirmado em minha alteridade pelo olhar do outro para que possa me constituir plenamente em minha humanidade.

Embora todas essas questões sejam de suma importância na clínica, não podemos nem devemos restringi-las apenas à situação clínica. Precisamos ampliar nosso olhar e pensar num âmbito social que constitui o meio no qual vivemos, sempre levando em conta como se dão as relações organismo/meio na atualidade. Precisamos de uma abordagem gestáltica engajada na realidade.

Se considerarmos que doença, de acordo com Kurt Goldstein, criador da teoria organísmica, é o "obscurecimento da existência", então devemos pensar que nossa sociedade está profundamente adoecida. Segundo Edgar Morin (1996, p. 95-96),

> vivemos durante dezenas de anos com a evidência de que o crescimento econômico (por exemplo) traz ao desenvolvimento social e humano aumento de qualidade de vida e de que tudo isso constitui o progresso. Mas começamos a perceber que pode haver dissociação entre quantidade de bens, de produtos (por exemplo), e qualidade de vida; vemos igualmente que, a partir de certo limiar, o crescimento pode produzir mais prejuízos do que bem-estar e que os subprodutos tendem a tornar-se os produtos principais.

Creio que as dificuldades que mencionei são alguns dos subprodutos do progresso e têm gerado muito sofrimento.

Sabemos que uma sociedade é de abundância quando todas as necessidades materiais dos *indivíduos* que dela fazem parte são facilmente satisfeitas. Assim, diante dessa perspectiva, podemos comprovar que o progresso falhou, uma vez que pelo menos um terço da humanidade termina o dia de barriga vazia.

Como pontuei em palestra no XIV Congresso Internacional de Gestalt-terapia realizado no Rio de Janeiro em 2015, nós, como psicólogos – e particularmente como

Gestalt-terapeutas –, devemos conhecer, observar, refletir e intervir em todas as dimensões que possam, de alguma forma, influir ou afetar o desenvolvimento da saúde mental no âmbito de cada indivíduo em sua singularidade, em sua inserção no ambiente e na sociedade de modo geral. Safra (1999b, p. 14) se refere a um "estado de dispersão de si mesmo" e menciona

> [...] problemas e situações que levam o ser humano a adoecer em sua possibilidade de ser: ele vive hoje fragmentado, descentrado de si mesmo, impossibilitado de encontrar na cultura os elementos e o amparo necessário para conseguir a superação de suas dificuldades psíquicas. (*Ibidem*, p. 13)

Essa realidade nos convoca a assumir uma posição eticamente sustentada. Ética aqui não se refere a um conjunto de regras e normas que regem determinado ofício, como é o caso dos códigos de ética profissional. No meu entendimento, ela vai muito além e envolve uma postura *no* mundo e *diante* do mundo. Uma postura de legitimação do direito de cada um à sua singularidade, do direito de cada um de estar no mundo de forma digna, tendo suas necessidades fundamentais de sobrevivência física e psíquica respeitadas, respeitando igualmente os limites que se fazem necessários num mundo compartilhado (Frazão, 2000).

Safra (1999a) se refere à ética do ser que não é aprendida por regras de comportamento, mas emerge do percurso do indivíduo por condições necessárias ao acontecer humano.

A *atitude dialógica* verdadeira, respeitosa e amorosa é, fundamentalmente, uma atitude *ética* diante do outro e diante do mundo; atitude que não pode ser aprendida na escola ou por meio de um código de ética profissional.

Para além de sua inquestionável, porém insuficiente dimensão profissional, a ética precisa se fazer presente a todo momento do nosso viver. A postura ética *no* mundo antecede aquela de um *fazer* no mundo, o que inclui nosso fazer profissional, bem como o que fazemos ao que existe no mundo (pessoas, animais, florestas, rios, mares etc.).

Gordon Wheeler (2002) nos chama a atenção para o fato de que a vergonha, num nível mais profundo, é uma ruptura no campo do pertencimento. Para o autor, a ética precisa se fundamentar no pertencimento, que implica uma ética de relacionamento, responsabilidade e cuidado. Isso supõe uma visão de nós e de nossa natureza como emergindo em e de um campo relacional.

Precisamos, no contexto atual, assumir uma posição ética que alicerce nosso ser, nosso fazer e nosso ter de tal forma que possamos nos apossar plenamente de nossa humanidade, favorecendo o acontecer humano.

Entendo ética como uma questão de cidadania, que implica uma atitude em relação às pessoas, à coletividade e ao mundo. Implica sermos responsáveis por nossas ações (e também por nossas omissões) num âmbito que vai muito além das paredes de nossos consultórios. Ética se instaura a partir da consciência e da responsabilidade.

Há muitos anos recebi um e-mail com um artigo de Flavio Gikovate que falava de um cumprimento utilizado na África do Sul: *sawabona*, que quer dizer "Eu o respeito, eu o valorizo, você é importante para mim". Em resposta, as pessoas dizem *shikoba*, que significa: "Então eu existo para você".

Que possamos dizer uns aos outros *sawabona* e *shikoba*! Que possamos respeitar e valorizar as pessoas, usufruir plenamente de nossa humanidade e, por meio de uma atitude ética no e diante do mundo, contribuir para diminuir o sofrimento humano e propiciar o desenvolvimento da plena humanidade de todos e de cada um.

REFERÊNCIAS

BAUMAN, Z. *Amor líquido.* Rio de Janeiro: Zahar, 2009.

FRAZÃO, L. M. "Refletindo sobre a questão da ética". Mesa-redonda "Ética na Gestalt-terapia", VII Congresso Internacional de Gestalt-Terapia, Rio de Janeiro, 26-29 out. 2000.

_____. "Ética, contato e violência". Trabalho apresentado como tema livre no XIV Congresso Internacional de Gestalt-Terapia, Rio de Janeiro, 28-31 maio 2015.

GENARO JUNIOR, F. "Psicologia clínica e espiritualidade/religiosidade: interlocução relevante para a prática clínica contemporânea". *Psicologia Revista,* v. 20, n. 1, São Paulo, 2011, p. 29-41. Disponível em: <http://www.jvasconcellos.com.br/fat/wp-content/uploads/2012/05/10%C2%BA_Viviane_Gleici-Kelly_Lucimar_Claudia-Lima.pdf>. Acesso em: 24 set. 2019.

GIOVANETTI, J. P.; CARDOSO, C. L. "A dificuldade de ser e o adoecimento existencial". Mesa-redonda do II Congresso Mineiro de Gestalt-Terapia: Sofrimento Humano e Cuidado Terapêutico, 27-30 nov. 2019.

MORIN, E. *Ciência com consciência.* Rio de Janeiro: Bertrand Brasil, 1996.

PERLS, H.; HEFFERLINE, R.; GOODMAN, P. *Gestalt therapy: excitement and growth in the human personality.* Nova York: Dell, 1951.

RIBEIRO, J. P. *Gestalt-terapia – Refazendo um caminho.* São Paulo: Summus, 1985.

SAFRA, G. "A ética do ser". Trabalho apresentado no colóquio "A ética nas práticas clínicas", Pontifícia Universidade Católica de São Paulo, 17-18 set. 1999a.

_____. *A face estética do self.* São Paulo: Unimarco, 1999b.

TAYLOR, S. *Here, now, next: Paul Goodman and the origins of Gestalt therapy.* São Francisco: Jossey-Bass, 1994.

WHEELER, G. "Shame and belonging: Homer's Iliad and the Western ethical tradition". *International Gestalt Journal,* v. 25, n. 2, inverno 2002.

6.
Cuidado às pessoas em sofrimento e possibilidades de ressignificação

BEATRIZ HELENA PARANHOS CARDELLA

"[...] é na fraqueza que se revela
totalmente a minha força."
Jesus de Nazaré – Carta de Paulo aos Coríntios (2, 12:9)

O SER HUMANO COMO PARADOXO

"Ostra feliz não faz pérola."
Rubem Alves (2008, p. 11)

"Tem mais presença em mim
o que me falta."
Manoel de Barros (*apud* Alves, 2008, p. 181)

Na epígrafe deste trabalho, tomei uma afirmação de Jesus, o Cristo, arquétipo do *Homem realizado*, segundo Paulo na Epístola aos Coríntios. Jesus revela importante faceta ontológica do humano: o *paradoxo*.

Será da perspectiva do paradoxo que abordarei os temas deste capítulo: o sofrimento e o cuidado. Veremos que a apropriação do paradoxo do sofrimento é, *em si*, a possibilidade de ressignificação no percurso terapêutico e na vida de nossos pacientes.

Compreender o ser humano como paradoxo é abordagem *humanizadora* na clínica, tarefa fundamental diante das formas de sofrimento e adoecimento características da contemporaneidade. Vivemos um tempo de desumanização, de esquecimento, de eclipse do fenômeno humano, e a psicoterapia precisa responder a isso acolhendo as necessidades dos pacientes em seu registro ontológico: recordá-los de sua humanidade.

Nesse contexto, o diálogo com a poesia, a mística e a religião oferece contribuições à medida que vivemos uma fragmentação do *ethos*. Esses campos assinalam o paradoxo que é ser humano, e sua linguagem é *metáfora*, ou seja, revela e abriga o Mistério ao mesmo tempo.

Todas as tradições sagradas afirmam que o ser humano está *no* mundo sem ser *do* mundo, é ser alado que habita o *húmus*, é terra fértil. É paradoxo ambulante: ser de fronteiras, peregrino que se enraíza, capaz de se transformar quando se torna o que é, que se constitui em presença do outro, singularidade que se revela em comunidade, potencialidade que se realiza, história e porvir que se atualizam, verticalidade que se horizontaliza, Mistério encarnado.

Nessa perspectiva, o homem é ser precário e criativo, aberto ao sentido. Recebe a vida como oferta e precisa criá-la. Está condenado à liberdade. É ser finito que anseia o eterno, ser de necessidades capaz de amar. Órfão que pode cuidar.

Sofredor que porta sabedoria. Lágrima que se faz poesia. Realidade inspirada por sonhos. Exilado que se faz lar. Solidão que porta multidão. Silêncio cheio de vozes. Vazio que abriga a plenitude. Memória do futuro que presentifica ancestrais.

Na atualidade, a psicoterapia tem por tarefa acolher o paradoxo que é a pessoa num tempo marcado pela tentativa da razão de tudo dominar, pela idolatria da subjetividade, pela cultura do narcisismo, pelo furto do Mistério que constitui o homem, reduzindo-o à dimensão horizontal e ao mundano. Nesse contexto de esquecimento, de desumanização, todos sofremos e podemos nos recordar do cuidado: a presença do outro que nos oferta um rosto, nos faz humanos, é *companhia*.

Ao longo de mais de 30 anos como psicoterapeuta, aprendi que cada pessoa pode nos ensinar alguma coisa sobre a condição humana graças ao que viveu. Meus pacientes são grandes mestres a respeito do viver, sobretudo quando sofrem. Fazem do sofrimento alguma coisa. Criam lá onde foram machucados, transformando feridas em preciosidades: pérolas, diamantes, rubis, esmeraldas, ouro.

Quando se apropriam de sua riqueza, quando reconhecem suas preciosidades, são capazes de criar um sentido de vida. Ultrapassam a questão da sobrevivência, acolhem e transcendem limitações, aceitam limites, tornam-se o que são e criam um horizonte existencial, que inspira e sustenta sua marcha, seu *vir a ser*. Tornam-se *reais*. Diante do real que é o rosto de cada pessoa, minha experiência é a reverência ao Mistério que as habita e me transcende. Passo a ocupar o lugar ético de *testemunha*. E esse olhar de reverência parece, de alguma forma, configurar cuidado. Mirar o rosto do outro é sempre uma experiência de espanto, revelação do imponderável.

Por isso, além de meus pacientes, os poetas, os místicos e os religiosos muito me ensinam sobre sofrimento e cuidado, à medida que revelam dimensões do humano que a razão não é capaz de abarcar. Felizmente. Se o conhecimento não pode tudo explicar e nomear, há *surpresa*, é possível sentir esperança.

Nessa perspectiva, sou *dostoievskiana*: o excesso da razão deságua no *niilismo*, e não há saída para o homem antropocêntrico, fechado em si mesmo, dissolvido na horizontalidade da existência. Ele não encontra nem cria um sentido para viver. Sua experiência é o tédio, o desconsolo, a desesperança, a ausência de sentido, o terror do nada, a agonia: é dor e não sofrimento.

O escritor russo Fiódor Dostoiévski, um dos maiores psicólogos que a humanidade já conheceu, era também profeta: nos idos de 1800, pressentiu dores e problemáticas que nos visitam nos consultórios todos os dias nos quatro cantos do mundo.

Por meio de seus ricos personagens o escritor revelou o homem esquecido de sua humanidade, que sofre por não encontrar lugar entre os outros, cujas pegadas se apagaram, esquecido da sabedoria do mundo, sem um chão (húmus) sobre o qual pisar, enclausurado no cotidiano, sem um horizonte a vislumbrar; o homem do subsolo aprisionado em seus porões e subterrâneos sem janelas de abertura ao outro, à transcendência, ao porvir e ao *mais além*. O homem da razão, reduzido ao mundano absoluto. Nada mais atual.

Nessa perspectiva, o homem pretende se autofundar e despenca no niilismo, que segundo Dostoiévski é a dissolução do humano, a queda no Mal. Este, para o escritor, é a própria soberania da razão, tão bem encarnada por seus personagens em todas as suas obras, especialmente em *Crime e castigo, Os irmãos Karamazov, Os demônios* e *O idiota*.

A entronização da subjetividade, a tentativa do conhecimento de a tudo responder, a tecnologização da vida, a padronização estética, a robotização, a temporalidade da máquina, os espaços artificiais, o dilaceramento dos vínculos, a liquidez do mundo, a comunicação com ausência do corpo, a objetificação da sexualidade, a fragilidade dos laços humanos, a ruptura da tradição, a ausência de horizontes existenciais, a morte da poesia, a ausência de sentido e a dessacralização da vida têm produzido formas de sofrimento e adoecimento que se caracterizam como *desenraizamentos*, ou seja, a perda das raízes na condição humana, tão bem profetizada pelo autor russo.

O escritor revela um paradoxo: o ser humano é capaz de se tornar *desumano*.

Nessa perspectiva, precisamos nos recordar do sofrimento em vez de tentar, inutilmente, esquecê-lo – marca profunda da contemporaneidade. Como afirma Safra (2006), hoje emerge o *homem-lata*. A metáfora de Rubem Alves de que "ostra feliz não faz pérola" nos alerta também para o risco do homem esquecido do sofrimento: o empobrecimento do viver e a perda da capacidade criativa.

Segundo Dostoiévski, a redenção é o retorno à fragilidade radical, à inocência, à infância perene; é o resgate da condição de criatura, a inclinação ao mistério originário que nos constitui, que para ele é o Divino. A fragilidade radical significa que o homem é um ser que sofre, é ser precário, de necessidades. É ser aberto ao outro. Na abertura ao outro, se revela *criativo*, peregrino; em seu *vir a ser*, é capaz (ou não) de realizar a grande obra criativa de sua existência, o processo de singularização, o *sentido*.

É a ausência que o visita; é a precariedade que o faz sofrer que o move em direção do que lhe é fundamental. É o vazio que guarda o pressentimento de si mesmo, a dor da origem que se transforma no anseio do fim. A Gestalt aberta que busca fechamento. O nascimento que o lança em direção à morte, tornando seu percurso uma criação, uma resposta à questão que encarnou ao adentrar o mundo. A pessoa é *questão*, e sua vida, uma *resposta* singular a ela: realização da liberdade, da criatividade e da responsabilidade.

Na perspectiva antropológica da Gestalt-terapia, equivale a dizer: o ser homem é *vazio fértil*, é *totalidade* que jamais pode ser apreendida, nomeada, pleno de potencialidades singulares, é transformação ambulante na direção da realização, é o *artista da vida* – como nos recorda Perls (1979) –, engajado na obra de ser si mesmo, sempre diante do outro.

Se esquecido de sua condição, pode vir a recordar-se de si; a memória do humano acontece como amor, obra da *graça*, pois a vida é oferta. O amor é atravessamento da razão; devolve-nos ao lugar de origem, à pequenez da criatura, ao Mistério filial. Em sua dimensão ontológica, o amor é posição, é *Kenosis*, esvaziamento de si, desnudamento, visitação, abertura ao outro. Paradoxalmente, graças ao amor, o vazio é também plenitude. É a sede que busca e pressente a Fonte.

O amor só acontece lá onde nos tornamos o vazio que somos, no deserto que atravessamos como criaturas exiladas e se concretizam como polifonia, como diálogo, anseio do *Encontro*.

Segundo Adélia Prado (*apud* Massimi e Mahfoud, 1999), é só no Mistério que nós, *criaturas*, podemos encontrar *repouso*. Adélia, como Dostoiévski, faz uma crítica ao homem da razão, dissolvido na idolatria do si mesmo e no fracasso de tentar ser o centro do mundo: *decadência*. A dimensão trágica é parte da condição humana, pois revela nossa precariedade. É a condição de abertura do homem para o que está *além de si*. É a própria transcendência, a potencialidade que busca realização. A contemporaneidade busca esquecer a dimensão trágica da existência, o que em última instância significa *negar o sofrimento de ser humano; consequentemente, nega também a criatividade*.

A *tirania da felicidade* mata e rouba a poesia, dimensão ontológica que é a *revelação do real*, a possibilidade de transformar o sofrimento em beleza. Não se trata aqui da beleza da estética padronizada, mas da experiência do *sublime*: *a pérola que habita a ostra graças ao sofrimento que a visitou*.

Assim, a partir desse lugar, abordarei a seguir os temas do sofrimento e do cuidado, bem como as possibilidades de ressignificação no processo terapêutico. Em virtude da necessidade de síntese, este capítulo será uma apresentação resumida de dimensões do sofrimento que precisam ser acolhidas e reconhecidas pelo clínico a fim de ofertar aos seus pacientes um lugar, de fato, *humano*, onde possam vir a acontecer. Meu anseio é que nós, terapeutas, possamos nos recordar da relação terapêutica como *morada* para que nossos pacientes possam se fazer *reais*. Quando somos reais, a vida tem um sentido – a despeito do absurdo.

Lilian Meyer Frazão e Karina Okajima Fukumitsu (orgs.)

AS DIMENSÕES ONTOLÓGICAS DO SOFRIMENTO: A RECORDAÇÃO DO HUMANO

> "Psicólogos só acertam
> Se me ordenam
> Avia-te para sofrer – conselho para distraídos."
> Adélia Prado, *A duração do dia* (2010, p. 26)

A fim de tratar do sofrimento, é preciso recordar suas dimensões ônticas e ontológicas – que, segundo Refheld (*apud* Pinto, 2009), são condição necessária a uma *abordagem fenomenológico-existencial*.

Para Safra (2006), em seu registro ontológico, o sofrimento é uma visita da verdade sobre a condição humana. Já de acordo com Refheld, trata-se de uma especial sensibilidade para dimensões da existência.

Segundo ambos os autores, o sofrimento é uma *revelação*. Não se trata simplesmente de uma interpretação negativa da vida, mas da sabedoria diante das necessidades fundamentais, uma forma de lucidez.

Como assinalei em outro texto (Cardella, 2017), a dimensão ôntica refere-se à situação concreta da existência da pessoa; é dimensão espaço-temporal, biográfica, e a acolhemos quando trabalhamos os conflitos, as vicissitudes relacionais, as dificuldades, os recursos, os limites, os projetos de nossos pacientes. A dimensão ontológica é contemplada quando o terapeuta busca a compreensão do paciente como pessoa; as condições que compartilha com os seus semelhantes: a precariedade, a finitude, a liberdade, a criatividade, a transcendência, a singularidade, a responsabilidade, a abertura ao outro, o pertencimento, a hospitalidade, o cuidado, a amizade, a comunidade, a poesia etc. A dimensão ontológica encaminha o paciente para sustentar-se na condição humana, alcançando a serenidade. É a recordação dos fundamentos.

Nessa perspectiva, o sofrimento é memória do fundamental; o sofrimento de um é sempre de muitos, o que significa também que há nele uma dimensão *singular* e outra *universal*.

É preciso, nesse contexto, diferenciar *dor* e *sofrimento*, tão bem descritos por Joel Birman (*apud* Cardella, 2017): a dor tem qualidades agônicas, é fechamento da pessoa sobre si mesma, monológica, solidão absoluta, sem apelo ao outro, sem rosto humano, infinito infernal.

O sofrimento, por sua vez, é dialógico, apelo ao outro, ausência que anseia por presença, marcha em direção ao porvir, criatividade e esperança do encontro. Sofre quem está aberto. Sofrimento é movimento de vir a ser, por isso possibilidade de criar, de transformar potencialidade em realização. É destinar o vivido, colocando-o sob domínio da criatividade. De forma nenhuma essa perspectiva significa apologia do sofrimento ou masoquismo, mas a possibilidade de destiná-lo, de dar a ele um sentido.

Considerando então essa perspectiva, assinalarei a seguir facetas ontológicas do sofrimento: o sofrimento como *sabedoria*, como *apelo ao outro*, como *vocação* e como *esperança*.

O SOFRIMENTO COMO SABEDORIA

"Sabedoria: o saber decorrente das experiências de vida fundado no sofrimento vivido por uma pessoa. [...] nada tem a ver com intelecto ou erudição."
Gilberto Safra (2006, p. 29)

"O sofrimento, mas isto constitui
a causa única da consciência."
Fiódor Dostoiévski (2000, p. 48)

Diz o teólogo Leloup (2002, p. 97) que "os verdadeiros sábios são desertos". O deserto é metáfora antiga para o sofrimento: o vazio, a sede e a falta. Ao caminhar com meus pacientes por seus desertos, compreendi o escritor: *o sofrimento revela uma sabedoria.*

Meus pacientes me ensinam justamente lá onde sofrem, pois portam uma sensibilidade para a verdade da condição humana.

Lá onde foram feridos, os pacientes nos ensinam o cuidado, a justiça, a aceitação, a verdade, o respeito, a ética, a companhia, a perda, a finitude, a esperança etc. Sua biografia é um livro sobre dimensões da existência. Livro que o terapeuta pode ler, aprender e ser transformado por sua sabedoria encarnada.

Percebi ao longo de muitos anos que uma de minhas tarefas era ajudar o paciente a reconhecer, se apropriar e revelar essa sabedoria. Ao integrá-la em sua experiência de si, essa mesma experiência é *ressignificada.* Ao reconhecer o que o feriu, o paciente encontra sua inteireza e pode, então, ofertar um sentido ao sofrimento.

Nós, terapeutas, precisamos nos conscientizar de que há o risco de estabelecer dicotomias diante do paciente que sofre, como em geral ele faz: *psicologizar* o sofrimento, girar em círculos ou buscar saídas sem permanecer o bastante no sofrimento para encontrar um chão do qual se possa partir e caminhar na direção de um horizonte. Lembremos que, segundo a *teoria paradoxal da mudança*, esta ocorre quando a pessoa se torna o que é, e não quando tenta ser o que não é. Perls (1979) afirma que sempre há uma possibilidade de crescimento. Assinala a força da semente que a informa da árvore que a habita, mesmo que caia na beira de uma estrada erma ou num precipício. É o conhecido não pensado, não apropriado e que pode, graças ao encontro, florescer em solo fértil. Essa força presente nas pessoas sempre me comoveu e me ensinou a reconhecê-la, ainda que na crise, na fragilidade, no transbordamento, no enlouquecimento e até no desespero. Reconhecer a sabedoria do sofrimento (a polaridade) e apropriar-se da força que ele carrega é possibilidade de transformação: o sofrimento torna-se passagem. Graças à sua sabedoria, meus pacientes me recordam a sede e a Fonte: a dignidade da luta humana em meio à aridez da existência no anseio de encontrar o oásis. Fazem um gesto no escuro, pura fé. Anseiam pelo Encontro, pura esperança. E se abrem lá onde sofrem, onde são *chamados*, puro amor. E me comovem. Sou transformada.

O SOFRIMENTO COMO VOCAÇÃO

"Te explico onde arranjei essa Beleza toda.
Foi no deserto,
Entre camelos e escaldante areia."
Adélia Prado (2010, p. 54)

"Sobre o nada eu tenho profundidades."
Manoel de Barros (2013, p. 9)

Assim como Leloup (2002), Adélia Prado também faz uma *poética do sofrimento*, o deserto como metáfora – onde, para ela, se revela a beleza, sua *vocação* de poeta. O sofrimento revela o vocativo, que não necessariamente tem que ver com *profissão*, mas com um chamado que a existência nos faz para determinadas questões, facetas, dimensões do viver. O chamado pode ser o cuidado, a solidariedade, a justiça, a beleza, a compaixão, a inclusão, a amizade, etc.; cada pessoa revela-se então *expert* numa faceta da condição humana, o que compareceu, paradoxalmente, como uma ausência em sua biografia. O ser humano é questão encarnada: vocação.

Assim, a solidão revela um saber da companhia, o abandono do cuidado, a exclusão do pertencimento, o exílio da hospitalidade. São milhares de exemplos sobre as dimensões fundamentais que visitam o ser humano graças a seu sofrimento. Toda vocação nasce de uma ausência, de uma fragilidade, realização assentada num vazio. É o chamado da existência para tornar o nada uma criação.

Os terapeutas em geral trabalham incessantemente com o que o paciente *quer* da vida, seus desejos, anseios, objetivos, perspectivas, projetos: dimensão ôntica. E precisam trabalhar o que a vida daquela pessoa quer *dela*: dimensão ontológica. Ao que é convocada, instigada, à revelia de suas escolhas.

No *Livro de Jonas* (Velho Testamento) a vocação é sempre visitação do Mistério: "A Palavra d'Aquele que É chega até Jonas. E lhe diz: 'Levanta-te, desperta, vai a Nínive, a grande cidade, prega nela que eu tenho consciência de sua maldade. Eu, o Ser que É, sinto a loucura desta cidade e sua doença. Vai a Nínive'" (*apud* Leloup, 2008, p. 22).

Enfrentando crises e fechando *Gestalten*

Como Jonas, o paciente é chamado a dar uma resposta à questão que o visita, ao chamado, ou então a recusá-lo. Essa é a experiência da liberdade e da responsabilidade, a obra de ser si mesmo. Nesse sentido, a existência é sempre uma *co-criação*. Escolhemos e somos escolhidos.

Quando Jonas é chamado por *Aquele que É* a atirar-se nas águas, ele reluta e adormece, coloca em risco a embarcação e todos os que viajavam nela (o campo). A certa altura, o balanço é tamanho que Jonas desperta, diz *sim* ao chamado e se lança ao mar. Misteriosamente, as águas se acalmam e a embarcação pode prosseguir em segurança. Depois de muito titubear e lutar com seus temores e fragilidades, Jonas acata a situação, responde, se faz presente, sai do torpor, se inclina ao que o visita à sua revelia e *desperta*. Paradoxalmente, como criatura, toma o destino nas próprias mãos: pura *criação*.

Assim, compreendo que a terapia é um percurso semelhante ao de Jonas, que pode vir a despertar em companhia (a consciência): destina o vivido (a responsabilidade) ao atender o chamado da existência (o vazio, a vocação), sustentando e atravessando o medo de viver (a angústia, o sofrimento), estabelecendo um sentido (a criatividade, a singularidade, a liberdade) diante do Mistério (a transcendência, a abertura ao outro).

Ao terapeuta cabe a tarefa de ser testemunha, companhia, além de sustentar esse processo, que também é seu (comunidade de destino). Faz-se presença diante da ausência, aparece como *pessoa*, refletindo o rosto do outro, sempre aparição.

Lilian Meyer Frazão e Karina Okajima Fukumitsu (orgs.)

O SOFRIMENTO COMO APELO AO OUTRO

"Minha alma está triste até a morte.

Ficai aqui e vigiai comigo."

Marcos 14, 34.

Para Francesetti (2018), o sofrimento acontece como ausência do outro (na fronteira de contato) e se atualiza na relação terapêutica. Esse autor assinala a importância de o terapeuta incluir-se na relação, no sofrimento que se atualiza, pois é parte do *campo*. O sofrimento é fenômeno do campo, é relacional, acontece nos desencontros vividos e nos encontros não acontecidos. O terapeuta deve então ser uma presença diante da ausência atualizada: *a presença diante da ausência não é mais uma ausência*.

Se o sofrimento é anseio do encontro e o terapeuta lá comparece, o encontro pode acontecer e o sofrimento é sustentado ou atravessado. Lembremos que, para Buber (1974), o encontro não é obra da busca, mas da Graça. Mesmo assim, o terapeuta pode se colocar *disponível*. Para tanto, precisa da abertura, da coragem de incluir-se no sofrimento do paciente. Isso nada tem que ver com confluência, mas com responsabilidade. Se o paciente sofre na presença do terapeuta, este é parte do sofrer. Precisa encontrar em *si* a falta que o paciente experimenta e posicionar-se na relação em direção ao Encontro. O terapeuta só será capaz de fazê-lo se voltar ao *húmus*, ao chão, à humildade, lugar ético fundamental, e reconhecer *em si* o que contribui para a experiência de falta vivenciada por seu paciente. Isso é diálogo: relação significativa. Essa é a única forma de se fazer *presente* ofertando ao paciente uma experiência real de companhia, um rosto humano diante do seu sofrimento. Quando há companhia há esperança.

O SOFRIMENTO COMO ESPERANÇA

> "E que o passado abra os presentes pro futuro,
> que não dormiu e preparou o amanhecer."
> Taiguara, "E que as crianças cantem livres"

> "A Esperança, quando verdadeira, parte da consciência
> de que precisamos pedir ajuda porque não conseguimos
> atribuir sentido à vida por nós mesmos."
> Luiz Felipe Pondé (2018, p. 133)

Perls (1979, p. 11), no poema que introduz sua autobiografia, diz: "Já basta de caos e de sujeira. Em vez da confusão sentida, que se forme uma Gestalt inteira na conclusão da minha vida". O autor revela, assim, a *esperança*.

Sempre me pergunto o que faz um paciente voltar a cada sessão, mesmo na mais profunda desesperança. O que o faz permanecer mesmo diante de minha incompreensão, distância, ignorância e, por vezes, de meu próprio sofrimento. Sempre me surpreendo pelo fato de que, a despeito da sua, da minha e da nossa miséria humana, ele continua lá. Por anos, por décadas. Meus pacientes também me ensinam a esperança.

Como assinala Pondé (2018), é consciência de que precisamos pedir ajuda, precisamos do outro, somos precários. Se há outro, o sofrimento pode ter um fim.

O filósofo nos recorda o mito de Prometeu, condenado a sofrer eternamente por entregar à humanidade o segredo do fogo. Para punir o homem pela curiosidade, Zeus dá a Pandora uma caixa que deveria manter fechada, pois se aberta libertaria os males do mundo e nos faria sofrer por nossa curiosidade. Pandora abre a caixa e todo o sofrimento se derrama pelo mundo. Porém, no fundo da caixa dos males estava a esperança.

Diz Pondé (2018, p. 187-88):

Sempre fiquei impressionado com essa história porque ela descreve o modo como vejo o mundo e as coisas: o mundo é permeado pela fragilidade e carência. Qualquer esperança de que isso não seja o vínculo profundo que une as coisas é uma esperança a nos atormentar e enganar. Entretanto, há algo de belo na possibilidade de ter esperança. Mesmo Zeus e outros deuses se encantavam com nossa infinita capacidade de ter esperança, mesmo quando esmagados pela mais imensa derrota. Assim como a culpa ilumina com as lágrimas os olhos de quem se sabe culpado, a esperança no coração de quem sabe que não há nenhuma esperança pode ser a maior de todas as virtudes espirituais.

A terapia é a experiência desse paradoxo. É devolver ao paciente a esperança que emerge do seu sofrimento. Isso nada tem que ver com expectativas, com abandonar o presente por uma ilusão futura ou com negação do sofrimento. Pelo contrário: *o sofrimento é o vínculo mais profundo com nossa humanidade*; justamente por isso, revela nossa imensa capacidade de ter esperança, de estarmos abertos ao *mais além*, de não nos reduzirmos ao próprio sofrimento à horizontalidade da existência. Justamente *porque há sofrimento é que a vida pode ter mais sentido*, como nos aponta Vergely (2001).

Em sua dimensão ontológica, esperança significa reconhecer a abertura à dimensão vertical, aos princípios mais elevados, ao anseio do porvir e ao pressentimento de algo que nos transcende. É serenidade, sustentação na condição humana, repouso no Mistério.

O CUIDADO ÉTICO COMO POSSIBILIDADE DE RESSIGNIFICAÇÃO

"Fora que alguém me ama
Eu nada sei de mim."
Adélia Prado, *A duração do dia* (2010, p. 9)

Quando o terapeuta ouve seu paciente acolhendo as dimensões ontológicas de seu sofrimento, restaura o *nós existencial*, se faz *comunidade de destino*. Acolher o paciente como ser humano é *cuidado ético*, que transcende o cuidado técnico, tão comum na contemporaneidade.

O cuidado ético é fundamentalmente hospitalidade, amizade e amor *ontológicos*. Como assinala Adélia, sabemos de nós se somos amados. Isso equivale a dizer que, na clínica, a ressignificação da experiência do paciente só poderá vir a acontecer como amor, quando o paciente encontra no rosto do terapeuta o próprio rosto. O amor é uma companhia.

Para tanto o terapeuta precisa estar disponível para ser profundamente transformado pelo paciente, para ser alguém com quem este pode se relacionar, a possibilidade de um encontro humano *real*, com suas ambivalências, precariedades, carências, desencontros. Onde há disponibilidade para o encontro, este pode vir a acontecer por obra da Graça. Essa disponibilidade é pura abertura, pura *inocência*. É o retorno à fragilidade radical diante do Mistério do Encontro. Onde há Mistério pode haver cuidado, sabedoria, amor e esperança. O brilho da pérola pode ser reconhecido onde a ostra foi machucada. Assim, a vida, a história, os sofrimentos são ressignificados diante de uma *presença humana*. Ressignificação acontece como amor. Entre ostras e pérolas, paciente e terapeuta juntos, em cada sessão, abrem a caixa de Pandora. Surpreendem os deuses. São *humanos*, e, a despeito do absurdo, capazes de uma imensa esperança. Fraqueza que se revela força, joia que brilha no deserto, solidão que se faz Encontro, sede que revela a Fonte. Se somos humanos, a vida então se faz Graça e viver, gratidão, gratuidade. Se há Graça voltamos ao lugar de origem: o amor. Estamos posicionados *abertos* entre o Mistério da origem e o Mistério do fim: somos *travessia*, como diz Guimarães Rosa (2001).

Se acolhemos a pessoa como travessia, nosso ofício alcança sua dimensão *sagrada*: o amor que se faz cuidado e transforma paciente e terapeuta, tornando-os, graças ao Encontro, Mistério encarnado: *humanos e divinos*.

O poema (Prado, 2013, p. 90): "Qualquer coisa que brilhe" nos traz essa revelação, e com um trecho dele finalizo esta reflexão:

[...]
Neste momento, especialmente neste,
A morte não ameaça, pois não existe.
Ainda que se mova, tudo é parado e vive,
[...]
Como gosto disso, meu deus!

Que lugar perfeito!
Ainda que volta e meia alguém morra,
é tudo muito eterno,
Só choramos por sermos condizentes.

REFERÊNCIAS

ALVES, R. *Ostra feliz não faz pérola*. São Paulo: Planeta, 2008.

BARROS, M. *Poesia completa*. São Paulo: Leya, 2013.

BÍBLIA SAGRADA. São Paulo: Paulinas, 1971.

BIRMAN, J. *O sujeito na contemporaneidade*. Rio de Janeiro: Civilização Brasileira, 2012.

BUBER, M. *Eu e Tu*. São Paulo: Moraes, 1974.

CARDELLA, B. H. P. *De volta para casa: ética e poética na clínica gestáltica contemporânea*. Amparo: Foca, 2017.

DOSTOIÉVSKI, F. *Memórias do subsolo*. São Paulo: 34, 2000.

FRANCESETTI, G. "Você chora, eu sinto dor". In: ROBINE, J. (org.). *Self: uma polifonia de Gestalt-terapeutas contemporâneos*. São Paulo: Escuta, 2018.

LELOUP, J. *Deserto, desertos*. Petrópolis: Vozes, 2002.

_____. *Caminhos da realização*. Petrópolis: Vozes, 2008.

PERLS, F. S. *Escarafunchando Fritz: dentro e fora da lata do lixo*. São Paulo: Summus, 1979.

PONDÉ, L. F. *Espiritualidade para corajosos*. São Paulo: Planeta, 2018.

PRADO, A. "Prefácio". In: MASSIMI, M.; MAFHOUD, M. (orgs.). *Diante do mistério*. São Paulo: Loyola, 1999.

_____. *A duração do dia*. São Paulo: Rio de Janeiro: Record, 2010.

_____. *Miserere*. Rio de Janeiro: Record, 2013.

REFHELD, A. "O que diferencia uma abordagem fenomenológica-existencial das demais". In: PINTO, E. (org.) *Gestalt-terapia: encontros*. São Paulo: Instituto de Gestalt de São Paulo, 2009.

ROSA, G. *Grande sertão: veredas*. Rio de janeiro: Nova Fronteira, 2001.

SAFRA, G. *Hermenêutica na situação clínica*. São Paulo: Sobornost, 2006.

VERGELY, B. *O sofrimento*. Bauru: Edusc, 2001.

7.
Relação ambiente-corpo como unidade sagrada: Gestalt-terapia como morada da espiritualidade

JORGE PONCIANO RIBEIRO

Sou um corpo-pessoa em ação no mundo. Sinto, sentes, sentimos; penso, pensas, pensamos; me movo, te moves, nos movemos. Existimos, logo sentimos, pensamos e nos movemos. Estou em estado de mudança. O instante é uma parada entre o ontem e o amanhã. Meu único ponto de descanso. No mais, estou aberto aos horizontes que surgem à minha frente. Tenho, apenas, a força que o instante me permite, porque continuo filho do passado e pai de meu futuro. Sou espírito-matéria, relação ambiente-corpo, um corpo que se levanta para o amanhã e um espírito que, na sua temporalidade, se fortalece para a espacialidade de meu corpo. Sou uma Gestalt, uma configuração que se transforma em Gestalt-terapia quando minha espacialidade e temporalidade, por alguma razão, se desentendem, se desencontram e eu preciso de ajuda para retornar à minha estrada e para refazer meus caminhos.

A Gestalt-terapia, por meio de uma mágica epochê, me predispõe para, no meu vazio, reconfigurar *Gestalten* antigas e, com ajustamentos criadores, me reencontrar através de minha espacialidade, que, *co-existindo* com minha materialidade, me devolve a possibilidade de me *re-encontrar* e de conviver com minha verdade.

CAMINHOS DE ESPIRITUALIDADE

Meu corpo é o *que* eu sou. Minha alma é *como* eu sou, minha vida visível, meu jeito de ser, onde eu me encontro dentro e fora de mim. Minha alma é a ponte entre meu corpo e meu espírito, é o lócus onde estou. Meu espírito é o *para que* do *que* eu sou e do *como* eu sou. É o mundo da transcendência. Meu eu absoluto. O profano numinoso.

Essa caminhada do *que* para o *como* e do *como* para o *para que* é a caminhada que o fenômeno faz até se tornar consciência, *awareness*, como consciência de um corpo em movimento no mundo. Essa caminhada, uma configuração perfeita, reúne o que, o como e o para que como partes de uma totalidade, cuja coexistência nos conduz ao próprio coração das coisas. A experiência e, sobretudo, a vivência da nossa realidade são uma Gestalt por se constituírem, ontologicamente, numa relação ambiente-corpo, mundo-pessoa, em busca de transcendência.

O mundo, dito de maneira simples, poder ser pensado em três universos, o profano, o sagrado, o espiritual, e, apesar da radicalidade de tal distinção, eles não se opõem; antes coexistem ontologicamente, porque há uma circularidade, uma multidimensionalidade metafísica entre eles.

Somos um sistema de contatos, o qual é filho da presença, do encontro, do cuidado, da inclusão, processos que nos

Enfrentando crises e fechando *Gestalten*

conduzem ao complexo conceito de confirmação que respeita, consolida a diferença e a promove.

Self é nosso sistema de contatos, uma Gestalt, que se expressa aqui por meio das dimensões sensório-afetiva, motora e cognitiva, implicando um movimento de mudança constante, uma temporalidade em que nosso corpo é sujeito e objeto de mudanças funcionais, constitutivas de modos novos de ser no mundo.

Meu *self*, espacialidade-temporalidade, conduz meu processo de mudança. Sou e existo à procura de minha melhor forma, de uma homeostase que constitua minha presença no mundo, como ruptura de toda dualidade e fragmentação entre processos, que, por sua natureza, fundam minha totalidade existencial.

Meu *self*, na condição de minha subjetividade e meu sistema de valores, expressa, aqui e agora, minha presença no mundo e espelha minhas possibilidades de, por meio de interrupções e das funções saudáveis do ciclo de contato, poder crescer à procura de minha máxima verdade, encontrar-me comigo mesmo, condição *sine qua non* de uma autêntica evolução espiritual.

Tais processos constituem o contato por meio das várias funções do *self*, que, por si só e como processo natural, nos conduz do mundo do profano ao mundo do sagrado e daí para o mundo da espiritualidade.

DO PROFANO

Profanum (do latim *pro* = diante, *fanum* = templo) é o que está fora, diante do templo, nem bom nem ruim, simplesmente é.

Algo à espera de... O profano tem embutido em si a semente do sagrado e da espiritualidade, pois tudo no universo tem vocação à transcendência e espera por esse momento. O profano é um inacabamento espiritual da realidade.

Imersas no mundo, afogadas num mar de agitação, de buscas sem respostas, de caminhos sem porto de chegada, as pessoas se perdem no profano, que sinaliza ausência de significação do nosso próprio agir, ou seja, a realidade tomada simplesmente como realidade, sem sinais de transcendência, o que começa e termina em si mesmo.

O profano é aquilo que ainda não foi sacralizado por meio de uma descoberta de sentido, de imersão na essência mesma do ser. Quando se encontra a essência de algo num gesto, num ato de amor, no olhar para uma pedra, num dar as mãos a quem precisa, esse dado, materialmente falando, se sacraliza quando olhado a partir de um outro referencial que o tira da simples materialidade que o constitui. Tudo é receptáculo do sagrado, temos apenas de aprender a encontrá-lo na complexidade do profano – que é, *a priori*, nossa forma de ver e lidar com a realidade.

O profano passa a ser sagrado tão logo nossa vibração existencial vê nas coisas a manifestação do numinoso, do divino presente em todo ser. Profano e sagrado não são opostos, mas de naturezas diferentes. A diferença não está no que eles são, mas no como e no para que de se tornarem experiências humanas.

A relação ambiente-corpo como forma primária, original e primeira de contato, como uma totalidade profana, se torna sagrada quando sentimos, pensamos e fazemos dessa relação um instrumento de compreensão do nosso jeito humano de

Enfrentando crises e fechando *Gestalten*

transcender, isto é, de ir além de nós mesmo levados pela nossa ínsita necessidade de sublimar o terra terra de nosso cotidiano.

Para o homem primitivo uma pedra, um alimento não eram simplesmente uma pedra ou alimento, porque ele transformava tudo num sacramento, numa comunhão com o sagrado. Ele vivia em estado de hierofania, pois, diante da necessidade de compreender as coisas – ou seja, de lhes dar vida e se tornar objeto de autoproteção –, ele avançava além da matéria, que para ele não era o constitutivo do ser, mas apenas um instrumento visível para conviver com sua natural limitação.

O espaço profano é aquele no qual a pessoa se desliga, talvez sem perceber, do potencial natural da existência, pois não sabe a sacralidade das coisas, a começar por sua própria sacralidade. Para ela, a existência das coisas é simplesmente uma existência, algo que existe, a aparência como aparência. Acrescento, porém, que a presença do sagrado é de tal modo constituinte do ser que a existência do profano jamais se encontra de maneira absoluta. Para negar o sagrado, de algum modo é preciso admiti-lo.

Falar do profano deixa um sabor estranho de realidade. Talvez ajude pensar, um pouco numa linha buberiana, que o "profano" está para o "Isso", assim como o sagrado/espiritual está para o "Tu". Como tudo e como sempre, as analogias não preenchem a totalidade de significado da existência. O profano, enfim, é uma Gestalt inacabada. Somos chamados para, por meio de ajustamentos criativos, sair de nossa condição humana de profanos em direção à perspectiva do homem/espiritual, lugar de pregnância, de homeostase, de sentir, às vezes, para além de si mesmo.

DO SAGRADO

Somos dotados de uma estrutura divina, pois assim falou Javé no Livro do Gênesis: "Façamos o homem à nossa imagem e semelhança", mas, mais do que sagrados, fomos divinizados na intenção divina ao sermos lançados, à nossa revelia, no mundo sagrado da espiritualidade. Assim, como estrutura somos corpo, somos profanos; como forma, somos sagrados; como função ou funcionamento, somos espirituais, existimos em estado de transcendência. Essa é a trilogia da espiritualidade, de uma Gestalt fechada, na qual subjetividade e objetividade se dão as mãos na constituição e construção de nosso ser no mundo.

O sagrado é movimento, é mudança, é desprendimento, é experiência corporal à busca do transcendente, é experiência de presença no campo, um campo de presença na relação ambiente-corpo. Uma semente contém a vida dentro dela, mas só germinará se for lançada à terra. O sagrado desvelado, descoberto não é apenas fruto da graça, mas de um ato de origem, gerado do Absoluto diferente que existe em todo ser e constitui a essência do sagrado que nos individualiza e singulariza, pois é a experiência e a vivência do diferente que criam a possibilidade de o sagrado acontecer como uma categoria de sentido além da simples palavra.

Ele se manifesta claramente no movimento da vida como uma totalidade existencial, de sentido, um sistema de um profundo contato além da aparência, que proclama um sentido novo que mora nas coisas. Está além das aparências, da técnica, das teorias, está em perceber a si e ao outro como únicos, singulares, irrepetíveis, está em ver, em perceber e sentir o que

Enfrentando crises e fechando *Gestalten*

de além é a essência de cada coisa. Esse é o coração do sagrado, da configuração que desperta nas pessoas o desejo de ir além do que apenas os olhos veem.

Espiritualidade é um vestido novo com que a Gestalt--terapia não está acostumada. E, no entanto, entendo que Gestalt-terapia é espiritualidade vivida na nossa carne. O sagrado não está no olhar, nem na fala, nem nas lágrimas do cliente ou do psicoterapeuta: está além das aparências, da técnica, das teorias, está em perceber a si ou ao outro como único, singular, irrepetível, em ver o que de próprio é a essência de alguém, em perceber aquele "centro" no qual todo o universo se recapitula, radical e totalmente diferente das realidades naturais, sejam humanas, sejam cósmicas.

Eliade (2002, p. 27) diz: "O sagrado está saturado de ser. Potência sagrada quer dizer, ao mesmo tempo, realidade, perenidade e eficácia".

Perdemos o jeito primitivo de olhar as coisas, para o qual o trovão é mais que o trovão, é a voz de Deus, a comida é mais que comida, é um dom da mãe terra. O homem religioso passa a viver uma atmosfera sagrada a partir do momento em que tudo no universo lhe revela, para além de sua visão material, uma intenção divina de constituição da realidade. A comida deixa de ser arroz e feijão para ser uma benção à saúde da pessoa que se alimenta, além do alimento. De outro lado, vivemos num mundo *des-sacralizado* onde as coisas se encerram em si mesmas: pedra é pedra, casa é casa: "Todo espaço sagrado implica uma hierofania, uma erupção do sagrado que tem por resultado o destacar um território do meio cósmico, envolvente e torná-lo qualitativamente diferente" (Eliade, 2002, p. 40).

Encontrar o sagrado é constituir o ser das coisas e equivale a um ato de criação. Descobrir o sagrado de algo é descobrir seu sentido último a partir do qual ele se faz presente como totalidade. Sem a consciência do sagrado, tudo está pela metade.

O ESPIRITUAL/A ESPIRITUALIDADE

Observamos que os mundos do sagrado e da espiritualidade estão muito próximos. A espiritualidade é uma expressão além do sagrado, que é um retorno ao estado e à posição original da pessoa, o que implica vê-la, no seu processo evolutivo, como um Tu, o modo como Deus a olha diretamente, sem intermediários.

Tanto o sagrado quanto o espiritual supõem e provocam uma mudança de categoria, de sentido, no instante em que ocorrem, isto é, muda-se a qualidade do objeto, da ação. Por exemplo: dar uma esmola pura e simplesmente é um ato quantificável, material; dar, entretanto, uma esmola porque me sinto irmão, filho do mesmo Pai, muda a natureza do gesto, recria um novo sentido, eleva a qualidade do ato em si, sacraliza, espiritualiza essa relação.

O espírito em sua manifestação humana é uma resposta do homem ao seu *TU*... O espírito não está no *EU*, mas entre o *EU* e o *TU*. Não é como o sangue que circula em você, mas como o ar que você respira. O homem vive no espírito, se for capaz de responder ao seu *TU*. Ele será capaz de fazê-lo se entrar na relação com todo o seu ser. É somente em virtude do poder que ele possui de entrar nessa relação que é capaz de viver no espírito. (Buber *apud* Hycner, 1995, p. 89)

A espiritualidade é um processo de alargamento de consciência. Por meio dela expandimos nossas dimensões e penetramos no mundo da transcendência, pois nossas percepções adquirem o limite de suas possibilidades. Espiritualidade tem que ver com contemplar, e contemplar sacramenta todas as coisas. É ver as coisas como Deus as vê e sentir-se expressão d'Ele. É tudo que expande, defende e organiza a vida. É a essência da procura humana. É o sentir-se tornando-se pessoa com alegria na alma. É a capacidade de ser livre para criar. É encantamento diante de nossas possibilidades e da majestade simples do universo. Tem relação com a profundidade com que cada indivíduo olha a realidade à sua volta, com a beleza interior de cada pessoa humana e com a misteriosidade de cada ser da criação. É poder sentir-se único e total.

É sentir-se generoso diante do dom gratuito da vida, sentir-se plenamente ser de relação, como energia que emana de nossa totalidade, pela qual nos permitimos transportar-nos para além de nós mesmos – e tem tudo que ver com louvação e gratuidade, emanações do mundo da espiritualidade e do sagrado que são expressões da profundidade de cada pessoa humana à procura de se tornar inteira.

Toda vez que alguém lida conosco, com o outro humano ou não humano a partir de dimensões humanas – como prudência, justiça, fortaleza, temperança, esperança, fé, amor, misericórdia, cuidado –, está no mundo da espiritualidade, pois esta nada mais é que uma de nossas dimensões humanas.

Acredito poder afirmar que o espiritual, na sua fluidez e na sua insustentável leveza, pode ser pensado da seguinte maneira: o universo é regido, entre outros, por cinco princípios, que são, ao mesmo tempo, macroformas de contato vividas pelo cosmos e cinco formas sagradas de como o espiritual eclode no mundo, permitindo a cada pessoa identificar-se com cada um desses princípios para chegar à essência de sua própria verdade.

1. **Imanência:** tudo é e está, tudo finca raízes, eu também, você também, e expande sua copa. Eu sou eu, você é você, não sou você. Mudo todos os dias sem deixar de ser eu. Olhado com os olhos da alma, sou inconfundível. É o atributo da espacialidade.

2. **Impermanência:** tudo muda, nada é, tudo está. Eu, tu, ele, nós, vós, eles mudam. Seres de relação, somos novos a cada nascer de um novo dia. Minha beleza é não estar pronto. Toda lua cheia espera a próxima lua cheia. É o atributo da mudança.

3. **Interdependência:** nada é sozinho, tudo é grupal, social, nada é ilha, somos penínsulas, tudo depende de e influencia tudo. Sou único e ontologicamente singular e, paradoxalmente, minha singularidade só é possível por causa do Outro. É o atributo da diversidade.

4. **Transparência:** a verdade existe; mesmo não tendo acesso a ela, tudo se autorrevela, se autoexibe, pede para ser visto por dentro, tudo, no cosmo, dança a dança dos sete véus até a nudez total. O espiritual é a verdade ontológica de cada um. É o atributo da verdade.

5. **Transcendência:** sede perfeitos "como o Pai". Temos o instinto da autoecossuperação. Tudo que nasce tem o poder de continuar vivendo por conta própria, e de se superar. Vai, caminha, você pode. É o tributo à temporalidade.

Essas dimensões são constitutivas do ser. Numa circularidade ontológica, numa *co-existência* metafísica, elas nascem da relação espírito-matéria, cofundantes de toda a realidade. Estamos longe dessa compreensão e dessa visão do espiritual. Continuaremos no campo do profano se não despertarmos para nossa dimensão humana de espiritualidade, para o sagrado presente em cada um de nós. Caso permaneçamos assim, continuaremos a lidar com o fenômeno da relação psicoterapêutica na fragmentação sintoma *e* psicoterapia, psicoterapeuta *e* cliente, embora a proposta da psicoterapia seja a de cuidar da pessoa-mundo-psicoterapeuta como um todo na busca de uma relação saudável ambiente-corpo.

A espiritualidade, como a materialidade, embora seja uma dimensão humana, precisa ser exercitada, vivida. O *corpo* nos oferece visibilidade, materialidade, quantidade, espacialidade que saltam aos olhos e pode produzir, no ser humano, seu receptáculo existencial, a impressão de que não precisa ser cuidado. Como em um movimento contínuo, ele se basta, anda sozinho.

A *espiritualidade,* por outro lado, habita escondida o nosso ser, é filha do invisível, da qualidade, da temporalidade, precisa de cuidados. Na sua substancialidade metafísico/ontológica, precede o corpo, por isso pode ser e existir sem ele, mas, dado que ambos coexistem, demandam cuidados para que a Gestalt ou a configuração que escondem e revelam simultaneamente operacionalizem a vida em ação por meio de ajustamentos criativos – como as interrupções do contato – e criadores – como os mecanismos saudáveis do ciclo do contato (Ribeiro, 2019).

O espiritual e, consequentemente, a espiritualidade se desvelam, se descobrem, não são apenas fruto da graça, mas de uma reflexão profunda à procura do absoluto diferente que existe em todo ser e constitui a essência do sagrado.

O espiritual se constitui pela consciência plena da presença da existência em nós. Quando a essência encontra de maneira plena a existência, ocorre a presença. Presença plena, Gestalt sagrada, hierofania com a face humana. Vive-se o espiritual quando nos encontramos com o sentido que as coisas escondem. Ele é fruto da experiência de ressignificação de necessidades materiais, humanas, às vezes religiosas, e acontece quando nos ligamos à essência mais que à existência do ser e formamos um só com ele – ou quando relemos a aparência e a transcendemos, indo ao encontro daquilo que as aparências ocultam. Toda experiência espiritual é numinosa, pois revela um aspecto do divino escondido na formalidade e na materialidade das coisas.

A experiência da espiritualidade consagra, unge o ser em si mesmo; é como se o ser mudasse de estrutura, conservando sua forma e seu funcionamento. Assim, ele perde a dimensão de coisa e se transubstancia na sagração de um hino de louvor à essência, ao cosmo. A espiritualidade é um ajustamento criador, porque na percepção do observador o profano perde sua estrutura e conserva sua forma: um raio é uma faísca elétrica, o que constitui um dado de realidade para o homem moderno; aos olhos do homem primitivo, entretanto, o raio era a voz de um Deus raivoso com seu povo. A forma é a mesma para ambos, a estrutura muda para o homem primitivo.

Experimentar, sentir a espiritualidade acontecendo em nós é uma descoberta, é desvelar as coisas, deixar cair a máscara, ir além das aparências que a ocultam para que o sagrado apareça. O sagrado é fruto de uma fala interior, de uma escuta interior, de um sentir interior. Ele passa pelo pensar, mas nasce no coração. Não é fruto de ver a coisa, mas de confundir-se com ela.

O espiritual nasce de um diálogo interior, de uma ressignificação de ideias, valores, de uma *pro-vocação* na qual o fundo novo, ativo mas adormecido, se transforma em figura. Vivemos em estado de travessia, somos partes de um deserto, trabalhado por oásis e infinitas areias. O caminho é meu, a escolha é minha. O espiritual habita tanto o oásis quanto as areias. Somos espírito, somos matéria. Somos espírito-matéria, somos, intrinsecamente, espiritualidade-materialidade, dimensões fundantes de nossa humana existência. Não precisamos procurar por tais dimensões; silenciosamente elas habitam em nós. Somos o lugar em que elas acontecem, temos apenas de encontrá-las, o que, de certo modo, supõe que precisamos procurá-las – embora não se saiba se vamos encontrá-las, já que experienciá-las é fruto do uma postura, de um acaso existencial, de uma ordem completamente diferente das realidades controladas, medidas, contadas. Elas se deixam encontrar quando o emocional está livre, aberto para isso. Não estamos falando de uma teoria da experiência do espiritual, mas de uma experiência religiosa primária que antecede toda uma reflexão a priori sobre o mundo.

A manifestação do sagrado funda ontologicamente o mundo. Na extensão homogênea e infinita onde não é possível nenhum ponto de referência e, em consequência, onde orientação nenhuma pode efetuar-se, a hierofania revela um "ponto fixo" absoluto, um "centro"... "[...] A descoberta ou a projeção de um ponto fixo – o 'centro' – equivale à Criação do Mundo" [...] (Eliade, 2002, p. 17).

Estou dizendo que o espiritual implica uma experiência de totalidade que nos conduz à possibilidade da fé. É uma ilusão pensar que o sentido que dou às coisas são as coisas. Vemos apenas o ente que nos revela o ser, lugar onde, de fato, o mistério encontra abrigo.

PSICOTERAPIA/PSICOTERAPEUTA: O ENCONTRAR-SE COM O ESPIRITUAL

Nossa cabeça lógica e linear não consegue, muitas vezes, captar a majestade e, consequentemente, o sentido escondido no coração das coisas. Não temos acesso à totalidade delas, mas tão somente a uma visão analógica da realidade, restando-nos apenas e humildemente acreditar que o sentido que damos às coisas é fruto de nossa humana subjetividade. Falta-nos a magia de uma intersubjetividade humana e cósmica.

É por isso que, não obstante o método fenomenológico nos aproximar da verdade das coisas, estas jamais são abarcadas completamente por ele, pois existe um espaço, um vazio entre a verdade das coisas e o que delas percebemos e descrevemos. Descrevemos a aparência das coisas, não temos acesso à sua alma, sobretudo porque a verdade é inatingível e a percepção de sua totalidade está na ordem de uma absoluta contingência.

Psicoterapia é um lugar no qual alguém que perdeu, momentaneamente, a capacidade de cuidar de si legitima o outro para cuidar dela, na esperança de recuperar o poder de lidar consigo próprio de maneira nutritiva e saudável. Talvez a psicoterapia seja um dos únicos lugares em que a relação corpo-mente encontre um caminho seguro para voltar para casa.

Cada pessoa é como um poema esperando para ser escrito. O psicoterapeuta deve ecoar o ritmo e a rima muito especiais dessa forma de arte nascente. Frequentemente, esse "poema" esteve escondido por anos de experiências torturantes e infelizes. É necessária uma grande abertura amorosa para que o belo emerja. A poesia genuína não pode ser enquadrada em uma métrica que não lhe seja própria. Essa abertura verdadeira para a beleza do outro não pode ocorrer se o terapeuta mantém concepções significativamente divergentes de quem o cliente é ou deveria ser. (Hycner, 1995, p. 119)

Psicoterapia é o lugar no qual cliente e psicoterapeuta se encontram para juntos acessarem os verdadeiros processos trazidos pelo cliente, encontrando soluções conjuntas que permitam a este conduzir, emocionalmente mais seguro, a própria vida. É um lugar no qual o cliente se sente livre e respeitado para falar de qualquer situação difícil de sua vida, na esperança – e às vezes na certeza – de que o psicoterapeuta é só ouvidos para ouvi-lo, é só sentimentos para compreendê-lo e é tecnicamente preparado para ajudá-lo a reencontrar seu *modus vivendi* natural, percorrendo com ele caminhos que o ajudem, como eu disse antes, a voltar para casa.

A relação cliente-psicoterapeuta, como tudo no universo, é profana; ela se torna sagrada e, portanto, fator de cura no momento em que psicoterapeuta e cliente, incluindo-se um no outro, se constituem, na sua singularidade, como seres essencialmente complementares e adquirem o temor fascinante pela beleza um do outro.

Apesar de toda beleza e grandiosidade de que pode se revestir o ato psicoterapêutico, o sagrado na psicoterapia não ocorre *ex opere operato*, ou seja, não é porque se está numa relação psicoterapêutica que o sagrado ocorre. Ela se dá *ex opere operantis*, isto é, somente quando a palavra do cliente e a do psicoterapeuta se fazem carne o sagrado se torna possível. Fazer-se carne significa a perda de toda e qualquer categoria humana em favor de uma inclusão no mistério do outro, sem esperar nada em troca, sem esperar encontrar nada, mas apenas tocando a alma e o sentido dela com dedos de amor. Uma *epochê* de um gesto profundamente espiritual.

A espiritualidade está implícita na natureza da psicoterapia, pois, se materialidade e espiritualidade são dimensões constituintes da essência humana, não será possível fazer psicoterapia deixando de lado a dimensão humana da espiritualidade, operante silenciosa no coração das pessoas. Afinal, quando dois corações batem no ritmo de uma só alma, o espiritual se faz presente.

> Para aqueles a cujos olhos uma pedra se revela sagrada, a sua realidade imediata transmuta-se numa realidade sobrenatural. Em outras palavras, para aqueles que têm uma experiência religiosa, toda a Natureza é suscetível de revelar-se como sacralidade cósmica. O Cosmos, na sua totalidade, pode tornar-se uma hierofania. (Eliade, 2002, p. 13)

O homem espiritual sabe que, se tudo tem o dedo e a marca de Deus, tudo pode reconduzi-lo a Ele. O homem profano vê apenas a aparência; o espiritual vê, sente e contempla a alma das coisas – e, ao senti-la nas coisas, celebra ali a presença de Deus. Assim, para o homem espiritual tudo se transforma numa catedral de Deus, seja uma pedra, uma formiga, uma flor, um homem. Ele adora o Deus oculto na essência das coisas. Não precisa de um templo ou igreja para celebrar o sagrado: ele e o outro são templos visíveis da divindade. Assim, tanto em uma formiga quanto em um homem podemos encontrar a maestria que nos conduz ao sagrado, ao divino.

Se o psicoterapeuta não for capaz de experienciar a sacralidade de uma pedra, de uma flor, de uma dor, não fará contato com a espiritualidade de seu cliente. No processo psicoterapêutico, o que cura não é descobrir sintomas e agir sobre ou com eles, não é emocionar-se, mas caminhar do profano ao sagrado, e do sagrado ao espiritual, ajudando o cliente a se olhar com os olhos de transcendência, ou seja, de superação e descoberta de si mesmo.

A espiritualidade de algo não consiste em descobrir a natureza teórica de como aquilo funciona. Descobre-se o próprio sagrado ou o do outro quando se vai além e para além da essência das coisas. Isso ocorre quando se descobre a singularidade individual de alguém e, nela, a força com que essa pessoa se coloca no universo, transcendendo a si mesmo. Não existe descontinuidade entre o sagrado de uma pedra (no contexto do universo, como única e singular) e a hierofania suprema que é descobrir nela o Deus que a habita e se confunde com ela.

A experiência do espiritual é um espaço psicológico, existencial, um lócus para o qual converge toda a energia de vida e de encontro da pessoa com ela mesma, permitindo que ela se descubra como única e singular e, ao mesmo tempo, incluída no mundo.

A relação psicoterapêutica em si não sacraliza o encontro; a sacralidade da relação vai depender de quanto se sente sagrado o cliente, de quanto se sente sagrado o psicoterapeuta e de quanto esse sagrado convive na unidade transformadora do encontro, como ressonância da espiritualidade de ambos.

A psicoterapia torna-se sagrada apenas quando a relação entre ambos, indo além da teoria e da técnica, penetra no mistério fascinante um do outro e ambos sentem o sentimento de pavor diante do sagrado, da majestade que enche, que invade, que habita o ser de cada um de nós. Esse é um momento de cura.

A espiritualidade emana da essência da pessoa como algo natural, assim como o perfume emana da flor, como as águas brotam da terra e permitem à nossa existência uma celebração da vida na singularidade de nossa totalidade.

Espírito-matéria, somos espírito porque somos pessoas e somos pessoas porque somos espirituais. Portanto, vivemos, na carne, a experiência da espiritualidade, da temporalidade, da qualidade do ato de ser. Somos para sermos. Somos matéria porque somos pessoas e somos pessoas porque somos matéria. Desse modo, vivemos, no espírito, a experiência da materialidade, da espacialidade, da quantidade do ato de ter, temos para termos. Captar essa relação é captar o eu-outro na sua totalidade, e quando tal percepção nos invade no processo psicoterapêutico abriu-se para nós um verdadeiro caminho de mudança, talvez de cura.

Quando captamos a absoluta singularidade de alguns momentos, estamos também captando o espiritual deste aqui e agora; isso que nos invade, que toma conta de nosso

Enfrentando crises e fechando *Gestalten*

ser, constitui uma percepção criadora de nossas possibilidades. Captar o espiritual que emerge do mais íntimo de nosso ser é uma *awareness* de um ato de criação, porque só ele dá à pessoa sua real dimensão como o traço do numinoso que o constitui.

Espiritualidade-materialidade e a relação psicoterapêutica ambiente-corpo são dimensões fundantes da estrutura de nossa personalidade. Essa correlação está em todo lugar e em tudo; envolve tanto um olhar profano, quando se olha apenas a aparência das coisas, quanto um olhar sagrado, se se vai além das aparências. Por exemplo: a experiência estética do perfume de uma flor recria sua qualidade de perfume quando essa experiência celebra a qualidade do perfume como uma dádiva do Criador. O perfume deixa de ser perfume para ser o sagrado de uma flor, o numinoso nela presente.

Quando fazer psicoterapia implicar buscar, encontrar, experienciar o sagrado que existe em cada um de nós, a relação psicoterapêutica se transformará numa autêntica vivência de espiritualidade que une psicoterapeuta e cliente.

Descobrir o sagrado de um cliente é vê-lo no cosmo como sujeito e objeto do particular interesse e amor com que todas as coisas o cercam, o constituem e o constroem. O espiritual está no "entre" onde tudo acontece; não está no olhar, nem na fala, nem nas lágrimas do cliente ou do psicoterapeuta.

Tenho repetido que a relação psicoterapêutica é, em si, profana, em que pese ser um lócus de esclarecimentos, propósitos e compreensão do mistério da vida. Por isso, dificilmente ocorrerá um processo de mudança, de cura, se essa relação for apenas um acidente geográfico de um consultório que acolhe cliente e psicoterapeuta – e não o fruto da sacralidade que nasce da relação essencial entre o lugar, o cliente e o psicoterapeuta.

A relação psicoterapêutica se sacraliza quando cliente e psicoterapeuta se veem um ao outro com os olhos da alma, quando a totalidade do existir de um e do outro se faz presente, quando se descobre a absoluta gratuidade do momento e a absoluta singularidade do outro, quando se experiencia que cada um na relação é um ser de singulares possibilidades. Estamos diante da majestade da hierofania, celebração da beleza do ser, manifestação do belo, polifonia do sagrado.

A relação psicoterapêutica passará de profana a sagrada quando descobrimos nela que processos calados, emudecidos pelos nossos ajustamentos disfuncionais, esperam por uma manifestação, uma epifania, que, mais que um processo de mudança, seja um verdadeiro processo de cura.

O consultório ou esse lugar em que você, de fato, está agora poderão se transformar em um lugar sagrado se, aqui e aí, irromper uma hierofania, isto é, uma celebração do divino, constituindo esses dois espaços um lócus de amor, de celebração, de vibração existencial, de procura de sentido.

CONCLUINDO, SE É POSSÍVEL CONCLUIR

Quando fazer psicoterapia implicar buscar, encontrar, experienciar o humano-sagrado que habita cada um de nós, a relação psicoterapêutica terá a face do Tu Eterno e se transformará numa fecunda expressão da espiritualidade que une psicoterapeuta e cliente.

A cura, por meio de uma profunda vivência da relação ambiente-corpo, espírito-matéria, cliente-psicoterapeuta, será

Enfrentando crises e fechando *Gestalten*

fruto dessa unidade sagrada, habitará e fará morada em nossos consultórios – e a Gestalt-terapia será vista como morada da espiritualidade. Esses são possíveis caminhos que caminhei com você. Existem outros. As escolhas no mundo da espiritualidade nem sempre são visíveis, mas caminham, pois o caminho nos constrói, é um espelho existencial dos enfrentamentos e das *Gestalten* que conseguimos fechar.

REFERÊNCIAS

BUBER, M. *Eu e Tu*. São Paulo: Centauro, 2003.

ELIADE, M. *O sagrado e o profano – A essência das religiões*. Lisboa: Livros do Brasil, 2002.

HYCNER, R. *De pessoa a pessoa – Psicoterapia dialógica*. São Paulo: Summus, 1995.

RIBEIRO, J. P. *O ciclo do contato*. 8. ed. rev. atual. São Paulo: Summus, 2019.

Os autores

Beatriz Helena Paranhos Cardella

Psicóloga e psicoterapeuta. Mestre em Educação. Especialista em Gestalt-terapia e em Psicologia Clínica. Professora convidada do Instituto Sedes Sapientiae (São Paulo) e do Satori-GT (Campinas). Coordenadora dos Grupos de Estudos de Temas Clínicos em São Paulo e Campinas, trabalho de formação continuada para psicoterapeutas. Autora dos livros: *O amor na relação terapêutica* (Summus); *A construção do psicoterapeuta* (Summus); *Laços e nós: amor e intimidade nas relações humanas* (Ágora) e *De volta para casa: ética e poética na clínica gestáltica contemporânea* (Foca).

Jorge Ponciano Ribeiro

Graduado em Filosofia e Teologia, mestre e doutor em Psicologia pela Pontifícia Universidade Salesiana de Roma. Formação em Gestalt-terapia com Walter Ribeiro e Maureen Miller (EUA). Pós-doutorados na Shrodells Psychiatric Unit, Watford, e na Sussex University, Falmer, ambos na Inglaterra.

Pesquisador e supervisor no Metanoia Psychotherapeutic Training Institute of Gestalt Therapy de Londres. Professor titular emérito da Universidade de Brasília e da Universidade Estadual de Montes Claros (Minas Gerais). Participou de inúmeros congressos de Gestalt-terapia nacionais e internacionais. Autor de vários artigos e capítulos de livros publicados no Brasil e no exterior e de 13 livros, 11 deles na área da Gestalt-terapia. Fundador e presidente do Instituto de Gestalt-terapia de Brasília. Charter member da The International Gestalt Therapy Association.

Josélia Quintas Silva de Souza

Psicóloga pela Universidade Federal de Pernambuco (UFPE) e Gestalt-terapeuta, mestre em Psicologia Clínica pela Universidade Católica de Pernambuco (Unicap). Especialista em Psicologia Hospitalar pelo Centro de Psicodrama Hospitalar e Domiciliar (CPHD). Psicóloga concursada aposentada do serviço público. Atuou no Hospital da Restauração Governador Paulo Guerra, em Recife (PE). Dedica-se ao estudo dos processos de adoecimento e morte, cuidados paliativos, luto, suicídio e posvenção ao suicídio. Autora do livro *Nos corredores de um hospital* (2013) e de capítulos de livros e artigos científicos em sua área de atuação. Consultora da comissão *ad-hoc* de elaboração das "Referências técnicas para atuação de psicólogos nos serviços hospitalares do SUS" (CFP, 2019). Docente de cursos de pós-graduação nas áreas de estudo.

Karina Okajima Fukumitsu

Psicóloga, Gestalt-terapeuta e psicopedagoga. Pós-doutora e doutora em Psicologia pelo Instituto de Psicologia da

Universidade de São Paulo (USP). Mestre em Psicologia Clínica pela Michigan School of Professional Psychology (EUA). Coordenadora da Pós-graduação em Suicidologia: Prevenção e Posvenção, Processos Autodestrutivos e Luto da Universidade Municipal São Caetano do Sul (USCS) e do Programa RAISE: Ressignificações e Acolhimento Integrativos do Sofrimento Existencial. Coordenadora, em parceria, da Pós-graduação Abordagem Clínica e Institucional em Gestalt-terapia da Universidade Cruzeiro do Sul (Unicsul). Membro efetivo do Departamento de Gestalt-terapia do Instituto Sedes Sapientiae. Coordenadora adjunta da Pós-graduação Morte e Psicologia: Promoção da Saúde e Clínica Ampliada da Universidade Cruzeiro do Sul (Unicsul). Autora de vários livros sobre prevenção do suicídio, processos autodestrutivos, posvenção e Gestalt-terapia. Organizadora, em parceria, da Coleção Gestalt-terapia: fundamentos e práticas (Summus Editorial).

Lilian Meyer Frazão

Uma das pioneiras da Gestalt-terapia no Brasil. Mestre em Psicologia Clínica pelo Instituto de Psicologia da Universidade de São Paulo, onde foi professora por 42 anos. Colaboradora do primeiro curso de formação em Gestalt-terapia no Brasil, no Instituto Sedes Sapientiae, em São Paulo, e de treinamentos de Gestalt-terapeutas no Brasil e no exterior. Sócia-fundadora e ex-membro da diretoria da International Gestalt Therapy Association (IGTA). Fundadora da Associação Brasileira de Psicoterapia (Abrap), do Espaço Thérèse Tellegen, do Centro de Estudos de Gestalt de São Paulo e da Associação Brasileira de Gestalt. Autora de artigos em revistas brasileiras. Membro da comissão editorial de diversas revistas

brasileiras. Organizadora, em parceria, da Coleção Gestalt-
-terapia: fundamentos e práticas (Summus Editorial).

Maria Alice Queiroz de Brito (Lika Queiroz)
Mestre em Psicologia Social pela Universidade Federal da
Bahia (UFBA). Especialista em Psicologia Clínica (CFP). Professora e supervisora do Instituto de Psicologia da UFBA.
Fundadora e diretora do Instituto de Gestalt-terapia da Bahia.
Fez parte do primeiro grupo de Gestalt-terapeutas do Brasil,
tendo implantado a abordagem em vários estados. Docente
de cursos de pós-graduação e formação em Gestalt-terapia
em vários Institutos do Brasil. Criadora da metodologia Re-
configuração do Campo Familiar: um enfoque gestáltico
transgeracional. Capítulos publicados em vários livros. Vice-
-presidente da Associação Brasileira de Gestalt-terapia.

Paulo Henrique Pinheiro de Barros
Psicólogo, sexólogo e Gestalt-terapeuta. Cofundador e coordenador, em parceria, do Instituto de Gestalt-terapia de Roraima (IGTRR), no qual coordena o Grupo de Estudo em Gestalt-
-terapia de Roraima e atua como docente tanto da formação
básica quanto da formação plena em Gestalt-terapia, sendo
responsável pelos módulos "Ética e Relação Dialógica" e
"Gestalt-terapia e Diversidade Sexual". Coordenador do Nú-
cleo de Atendimento Psicossocial para População LGBTQI+
no IGTRR, no qual conta com o apoio de duas estagiárias de
Psicologia, Nágela Almirante e Aline dos Santos.

www.gruposummus.com.br